BRWYDR Y BÊL

Brwydr y Bêl

addasiad Mari George

o *Atlantis United*, Gerard Siggins

Gwasg Carreg Gwalch

Cyhoeddwyd yn wreiddiol gan Wasg O'Brien Cyf., Dulyn, Iwerddon: 2018
Teitl gwreiddiol: *Atlantis United*

Cyhoeddwyd yn Gymraeg drwy gytundeb â Gwasg O'Brien Cyf.

Cyhoeddwyd yn Gymraeg gan Wasg Carreg Gwalch 2019
Addasiad: Mari George

Rhif Llyfr Safonol Rhyngwladol:
978-1-84527-709-3

Cyhoeddwyd gyda chymorth Cyngor Llyfrau Cymru

Dylunio'r clawr Cymraeg: Eleri Owen

Cyhoeddwyd gan Wasg Carreg Gwalch,
12 Iard yr Orsaf, Llanrwst, Dyffryn Conwy, Cymru LL26 0EH.
Ffôn: 01492 642031
e-bost: llyfrau@carreg-gwalch.cymru
lle ar y we: www.carreg-gwalch.cymru

Argraffwyd a chyhoeddwyd yng Nghymru

CYFLWYNIAD

I Sadhbh, John, Anna, Caitlin, Emma-Dee a Tilly
– sêr y dyfodol yn Academi'r Campau.

Cydnabyddiaethau

Diolch, yn ôl yr arfer, i Martha, Jack, Lucy a
Billy, ac am byth i Mam a Dad.
Diolch hefyd i dîm cyhoeddi ardderchog O'Brien
Press, yn enwedig fy ngolygydd, Helen Carr.
Dw i wedi treulio llawer o amser yn gwylio
chwaraeon ym mhob man, o barciau cyhoeddus
i stadiwm Olympaidd – diolch i'r holl
chwaraewyr a hyfforddwyr am roi gymaint o
bleser i mi.

Pennod 1

Ciciodd Jo'r llawr mewn rhwystredigaeth ac roedd yn sylweddoli mai hwnnw oedd y peth cyntaf iddo'i gicio drwy'r prynhawn.

Roedd Jo'n chwarae safle cefnwr i'w dîm, Crwydriaid Caerdydd, ond doedd neb byth yn pasio'r bêl iddo. Doedd e ddim yn amhoblogaidd, ond roedd ei gyd-chwaraewyr yn gwybod ei fod wastad yn colli gafael ar y bêl yn hawdd.

'Mae gen ti ddwy droed chwith, Jo,' chwarddodd yr hyfforddwr wrth iddyn nhw adael y cae pan oedd hi'n hanner amser. Byddai Jo wedi gwneud unrhyw beth i gael dwy droed chwith – gan mai gyda honno yr oedd yn cicio. Doedd yr hyfforddwr ddim wedi sylwi, yn amlwg, gan fod Jo'n cael cyn lleied o afael ar y bêl.

'Dwy droed dde, chi'n ei feddwl,' meddai Jo a'i ben yn ei blu.

Chwarddodd yr hyfforddwr eto. 'Sori, Jo ...'

Dim ond dwywaith yn yr hanner cyntaf yr oedd y bêl wedi dod yn agos at Jo – wrth i asgellwr y tîm arall redeg heibio. Roedd ei ymdrech i'w daclo'n rhy hwyr.

Yn ffodus, nid arweiniodd unrhyw un o'r troeon anffodus hyn at gôl i'r tîm arall, ac roedd Caerdydd ar y blaen o 1-0 ar yr egwyl.

'Gôl dda, Robbie,' meddai Jo wrth seren y tîm, a oedd yn chwarae yn safle'r blaenwr.

'Diolch, Jo,' gwenodd Robbie yn ôl arno.

'Welest ti'r boi 'na ar yr ochr bella?' gofynnodd Jacob, gan bwyntio at ddyn yn gwisgo cot hir, drwchus oedd yn gorchuddio'i bigyrnau, sgarff fawr wedi ei lapio o gwmpas ei wddf sawl gwaith, a het ddu ffasiynol iawn. 'Mae'n edrych fel sgowt – falle 'i fod e o'r tîm rhyngwladol.'

Trodd y bois i gyd a syllu ar y dyn dieithr, nad oedd yn edrych fel y gwylwyr eraill o gwbl – sef eu rhieni nhw i gyd yn bennaf – oedd yn gwisgo cotiau glaw a hetiau gwlân.

'Mae e yma i edrych arnat ti, siŵr o fod,' meddai un o'r bechgyn, gan bwyntio at Robbie.

Gwenodd y chwaraewr yn ôl yn llawn balchder. Doedd dim pwynt bod yn wylaidd. Doedd e ddim yn orhyderus o gwbl, ond roedd Robbie – a phawb arall – yn gwybod mai fe oedd y chwaraewr gorau yn y tîm. O bell ffordd.

Aeth Robbie ymlaen i brofi hynny ymhellach yn gynnar yn yr ail hanner drwy sgorio dwy gôl ardderchog, un ohonyn nhw'n beniad gwych o gic gornel.

Llwyddodd Jo, yn y cyfamser, i daclo'n llwyddiannus – er i'r bêl fynd dros y llinell ochr – ac fe gafodd afael ar bêl rydd a'i chicio mor bell ag y gallai i fyny'r cae.

Roedd e'n hapus â'r cyfraniad hwnnw, a diolchodd nad ei fai ef oedd unrhyw un o'r goliau a gafodd y tîm arall.

Ond daeth tro trwstan gydag un munud yn unig ar ôl ar y cloc. Brysiodd canolwr Caerdydd i glirio'r bêl ac fe hyrddiodd peniad pwerus gan y chwaraewr canol cae'r bêl yr holl ffordd yn ôl nes iddi fownsio i lwybr Jo. Y cwbl roedd rhaid iddo'i wneud oedd ei chicio yn ôl ond yn ei gyffro ceisiodd roi cic uchel i'r bêl – a llithro.

Wrth i'w goes roi oddi tano, symudodd asgellwr y tîm arall o'r ffordd a chasglu'r bêl wrth iddi fownsio i ffwrdd tuag at y gôl.

Roedd Jo yn dal ar ei bengliniau yn y mwd pan giciodd yr asgellwr y bêl reit i gefn y rhwyd. Cododd y dyfarnwr ei fraich a chwythu ei chwiban i ddynodi bod gôl wedi ei sgorio, ac yna chwythodd y chwiban ddwywaith eto er mwyn dynodi diwedd y gêm. Y sgôr oedd 3-3.

Roedd Jo â'i ben yn ei blu, ond cododd ar ei

draed ac anelu'n gyflym am yr ystafell newid. Oedodd i ysgwyd llaw chwaraewyr y tîm arall, ond ymladd y dagrau oedd yn cronni oedd ei brif bryder. Byddai crio yn embaras pellach iddo ar ôl colli dau bwynt cynghrair pwysig i'w dîm.

Doedd neb o'i gyd-chwaraewyr yn fodlon dal ei lygad wrth iddyn nhw adael y cae, heblaw am Robbie. Chwiliodd hwnnw amdano a rhoi ei fraich o'i gwmpas, ei longyfarch ar gêm eithaf da, a dweud wrtho am beidio â phoeni am beth ddigwyddodd ar y diwedd.

Yn yr ystafell newid, newidiodd Jo yn gyflym gan ei fod yn awyddus i adael cyn gynted ag y gallai. Gwisgodd ei hwdi a thaflu ei fag dros ei ysgwydd, gan ddweud, 'Wela i ti ddydd Mawrth' wrth y bachgen nesa ato a mynd am y drws.

Yr eiliad honno, ymddangosodd yr hyfforddwr. Syllodd ar Jo gyda golwg ddryslyd ar ei wyneb.

'A ... Jo ... Alli di aros am funud? Dw i am siarad gyda dy rieni.'

Dechreuodd Jo boeni. Teimlai ei stumog fel pe bai rhywun wedi ei gicio. Syllodd ei gyd-chwaraewyr arno, ond doedd neb eisiau dal ei lygaid.

Aeth yr hyfforddwr ati i drafod y gêm gyda'r

bechgyn, ond roedd hi'n amlwg bod rhywbeth ar ei feddwl. Ni sylwodd Jo ar hyn, gan fod pob math o bethau'n gwibio trwy ei feddwl. Beth oedd yr hyfforddwr yn mynd i'w ddweud? Roedd hi'n amlwg ei fod yn mynd i'w ollwng o'r tîm – efallai y byddai hefyd yn gofyn iddo adael y clwb.

Gorffennodd yr hyfforddwr ei sgwrs drwy ddweud wrth y tîm i wneud yn siŵr eu bod yn cyrraedd yr ymarfer ar amser ddydd Mawrth. Dywedodd wrth Jo am fynd tu allan.

Roedd y rhieni yn llawn siarad a chyffro am y gêm ac am eu cynlluniau ar gyfer y penwythnos. Gwenodd mam Jo arno mewn cydymdeimlad a rhoddodd ei dad ei law ar ei ysgwydd. 'Hen dro, Jo, ro'et ti'n anlwcus iawn ar y diwedd yn fan'na,' gwenodd.

Gwenodd Jo yn lletchwith ond roedd ei lygaid ar ddrws yr ystafelloedd newid. Daeth yr hyfforddwr allan a cherdded yn syth at Jo a'i rieni.

'Jo, Mr Wright, Mrs Wright, allwch chi ddod gyda fi? Mae rhywun yma i siarad â chi. Ei enw yw Frank, meddai fe,' ac arweiniodd e nhw oddi wrth y criw o rieni ac i'r maes parcio.

Ym mhen pellaf y rhes o geir, roedd dyn yn ysmygu sigarét a'r mwg yn chwyrlïo i'r awyr.

Ond sylwodd Jo ddim ar hynny am ei fod yn syllu ar yr hyn roedd y dyn yn ei wisgo – het fawr, drawiadol ddu.

Pennod 2

Roedd Kim yn cael diwrnod gwael hefyd. Diddordeb newydd oedd chwarae rygbi iddi, ond roedd hi wrth ei bodd yn barod ac yn cyfri'r dyddiau bob wythnos tan yr ymarferion a'r gemau gyda'i chlwb, Arwyr Aber. Roedd hi'n hoffi'r ffaith bod gan bawb rôl ac y gallai pobl o bob maint gymryd rhan, ac roedd chwarae yn y rheng ôl yn rhoi cyfle iddi redeg gyda'r bêl.

Ond er ei bod yn mwynhau'r cyffro o afael yn y bêl o dan ei chesail ac ochrgamu rhag ei gwrthwynebwyr cyn rhedeg mewn i ofod, roedd angen gwaith ar agweddau eraill o'i gêm. Roedd hi'n un o'r aelodau gwannaf yn y tîm ac roedd yr hyfforddwr yn ei hatgoffa o hyn byth a beunydd.

'Allet ti ddim taclo dy ffordd drwy griw o Ferched y Wawr,' cwynodd yr hyfforddwr wrth i Kim gael ei hyrddio at yr ystlys tra bod asgellwr y tîm arall yn taranu at y llinell gais a sgorio.

Roedd Kim yn casáu'r troeon pan fyddai'r hyfforddwr yn negyddol – ac nid yn unig amdani hi.

'Wnes i ddim 'i neud e ar bwrpas,' meddai dan ei hanadl. Helpodd Amy, ei ffrind, iddi godi a rhedodd y ddwy yn ôl wrth i'r ciciwr baratoi ar gyfer y trosiad.

'Dw i'n casáu clywed yr hyfforddwr yn enwi chwaraewyr,' meddai Amy. 'Trueni nad y'n ni'n gallu cael hyfforddwr gwahanol. Dw i'n ystyried rhoi'r gore iddi.'

'O, plis paid!' atebodd Kim. 'Anwybydda fe a chanolbwyntio ar wella. Dw i erioed wedi mwynhau unrhyw gamp gymaint â hon a dw i eisiau dal ati.'

Roedd Arwyr Aber yn chware eu gemau cartref ar dir eu hysgol, ac roedd rhai o'r athrawon yn dod draw i'w cefnogi.

'Hen dro, Kim,' meddai Miss Conlon, hoff athrawes Ddaearyddiaeth pawb. 'Gei di dy gyfle, paid poeni.'

Gwenodd Kim a chwifio arni. Roedd hi'n sefyll wrth ochr menyw fer a oedd yn dal clipfwrdd.

Roedd hi'n gwybod bod ganddi broblem gyda'r ffordd yr oedd hi'n taclo. Roedd hi hyd yn oed wedi astudio'r chwaraewyr gorau i gyd drosodd a throsodd ar YouTube, a chynllunio pethau yn ofalus iawn, ond pan fyddai hi'n dod wyneb yn wyneb â rhywun o'r tîm arall ar y cae, roedd ei chynlluniau yn mynd i'r gwellt bob tro.

Roedd hi'n ddiwrnod oer a gwlyb a doedd dim llawer o gyfle i unrhyw un ddangos eu sgiliau rhedeg. Trodd y gêm yn frwydr rhwng y blaenwyr, gyda'r bêl yn cael ei chadw'n dynn gan y naill dîm a'r llall. Daeth yr hyfforddwr â nifer o eilyddion i'r maes a chafodd Kim ei symud i safle'r cefnwr lle ddechreuodd hi deimlo'n ansicr iawn yn sydyn. Roedd rhaid iddi ganolbwyntio ar bob cam o'r gêm a rhagweld beth fydden nhw'n ei olygu iddi hi o ran ei symudiadau.

Doedd dim llawer o amser ar ôl o'r gêm pan sylweddolodd hi'n sydyn ei bod ar fin bod yn ganolbwynt y chwarae.

Ciciodd maswr y gwrthwynebwyr gic hir isel a chywir i'r gornel ond arhosodd y bêl ar dir y chwarae. Roedd hi'n ras felly rhwng Kim ac asgellwr chwim y tîm arall i gyrraedd y bêl rydd. Roedd Kim yn credu ei bod hi mor gyflym â'i gwrthwynebydd ond roedd ganddi lawer o dir i'w adennill, felly newidiodd gyfeiriad ychydig – gan roi'r gorau i'r syniad o gyrraedd y bêl yn gyntaf, a rhoi cyfle gwell iddi hi ei hunan i atal yr asgellwr.

Roedd hi wedi cymryd y cam cywir, ac roedd hi'n dal i symud ar gyflymdra mawr pan drawodd hi yn erbyn coes ei gwrthwynebydd. Daeth bloedd fawr gan gefnogwyr ei thîm hi, ond wnaeth y floedd ddim para'n hir wrth i'r asgellwr basio'r bêl dros ei hysgwydd. Roedd canolwr y tîm arall yn dilyn a rhedodd dan y pyst yn hawdd.

'Kim!' gwaeddodd yr hyfforddwr, ei wyneb yn troi'n borffor. 'Dylet ti fod wedi ei tharo hi'n galetach a'i gwthio hi dros yr ystlys.'

Suddodd Kim i'r llawr, heb anadl nac enaid ar ôl.

'Dwli,' daeth llais o rywle. 'Ro'dd hi'n iawn i newid ffocws a tharo'r asgellwr, ac roedd y bàs yna ar gyfer y cais yn ffliwc llwyr.'

Edrychodd Kim i fyny, gan ddyfalu pwy oedd wedi mentro mynd yn groes i'r hyfforddwr. Roedd wyneb hwnnw'n mynd yn fwy porffor wrth iddo droi a gweld y fenyw â'r clipfwrdd oedd wedi bod yn sefyll gyda Miss Conlon.

'Pwy wyt ti i ddweud y fath beth?' meddai'n fygythiol.

'Hyfforddwr Rygbi lefel 4,' atebodd yn oeraidd.

Trodd hyfforddwr yr Arwyr i ffwrdd gan geisio cuddio ei ddicter.

Ar ôl i'r trosiad gael ei gymryd, chwythodd y

dyfarnwr ei chwiban gyda'r Arwyr yn colli 10-0, a llusgodd Amy a Kim eu ffordd yn ôl i'r sied i newid. Rhoddodd yr hyfforddwr bregeth dri deg eiliad o hyd iddyn nhw, ond roedd pawb yn gallu gweld ei fod wedi ei gorddi gan y sylw gan y fenyw ar ochr y cae.

'Joies i hwnna,' chwarddodd Amy. 'Mae'n dda ei weld yn cael ei roi yn ei le.'

Curodd Miss Conlon ar ddrws y sied a'i agor.

'Sdim ots bawb, mae digon o bethe calonogol. Dw i'n meddwl y byddwch chi'n ennill tlysau'r tymor nesa os wnewch chi barhau i weithio'n galed.'

Ymunodd ffrind yr athrawes â hi. 'Helô, Kelly ydw i. O'n i jyst eisiau dweud fy mod i wedi ymddiheuro i'ch hyfforddwr chi achos er ei fod e'n anghywir, roedd beth ddywedes i wrtho yn haerllug. Dw i'n hyfforddi chwaraewyr rygbi llawer yn hŷn ac fe weles i ddigon o dalent yma heddiw, felly daliwch ati i weithio'n galed.'

Trodd Kelly a gadael ond wrth i Miss Conlon fynd ati, pwyntiodd at Kim.

'Ie, ti, Kim. Alli di ymuno â ni tu allan? Mae Kelly eisiau gair â thi.'

Pennod 3

Arferai Craig fod wrth ei fodd yn chwarae tennis ond bellach, roedd yn casáu pob gêm.

'6-0, 6-0, colli eto,' ochneidiodd hyfforddwr tîm dan 12 ei glwb. 'Dyna bedair gêm ar ôl ei gilydd a dwyt ti ddim wedi ennill yr un ohonyn nhw.'

Doedd gan Craig ddim ateb i hyn. Roedd wedi gweithio mor galed, yn taro pêl yn erbyn wal drwy'r prynhawn er mwyn gwella, ond roedd hi fel petai'n rhewi bob tro yr oedd mewn gemau cystadleuol.

Dim ond pedwar chwaraewr dan 12 oedd yn nhîm Caernarfon, felly doedd dim angen i Craig boeni am golli ei le, ond roedd e'n ystyried rhoi'r gorau iddi wrth i'w siom a'i gywilydd gynyddu.

Roedd rownd o gemau sengl ar y gweill ac yna roedd cystadleuaeth parau, a daeth Craig i'r penderfyniad os na fyddai'n ennill gêm arall yna byddai'n dweud wrth ei gyd-aelodau yn y tîm ei fod wedi cael digon.

Ymunodd ag Andy oedd yn ymarfer ar y cwrt tu allan, wedi ei lapio'n gynnes rhag yr aer oer lle'r oedd rhaid iddyn nhw ymarfer er mwyn dod yn gyfarwydd â golau gwan y llifoleuadau.

'Mae gen ti gledr llaw gref iawn,' meddai Andy wrth Craig. 'Dw i ddim yn deall pam nad wyt ti'n ennill mwy o gemau.'

Dywedodd Craig ddim byd. Roedd wedi ceisio dadansoddi pam yr oedd wedi gwneud camgymeriadau, ond yn y diwedd roedd wedi dod i'r casgliad nad problem dechnegol oedd ganddo, ond ei fod yn dueddol o rewi pan fyddai dan bwysau mewn cystadleuaeth. Roedd wedi clywed sylwebwyr ar y teledu yn sôn am chwaraewyr tennis a golffwyr oedd yn methu cyflawni unrhyw beth o werth ar adegau tyngedfennol ac roedd e'n gallu uniaethu â hyn, ond po fwyaf y byddai'n ceisio ymladd hyn, gwaetha roedd pethau'n mynd.

Trawodd ef ac Andy beli 'nôl a blaen at ei gilydd am rai munudau'n hirach cyn iddyn nhw gael y signal gan eu hyfforddwr fod angen iddyn nhw fynd 'nôl i'r neuadd.

Sychodd Craig ddolen ei raced â thywel a bwrw golwg o gwmpas y neuadd chwaraeon fawr. Roedd hi bron yn wag – byddai ei fam a'i chwaer yn dod i'w gefnogi bob tro, ond roedd llai na dwsin yn y dorf. Roedd e'n eu hadnabod nhw i gyd ond ers iddo fod tu allan roedd rhywun arall wedi cyrraedd, a chan ei fod yn gwisgo tracsiwt glas, llachar roedd hi'n anodd ei osgoi.

Astudiodd Craig y dieithryn – roedd yn siŵr nad oedd wedi ei weld erioed o'r blaen ac roedd hi'n annhebygol ei fod gyda'r tîm arall, gan eu bod nhw hefyd yn syllu a phwyntio ato gymaint ag yr oedd ei dîm ef.

Galwodd y dyfarnwr arnyn nhw i gyd a dechreuodd cystadleuaeth senglau Craig. Roedd yn erbyn rhywun gwannach na'r gêm gynt ond roedd e'n dal yn methu â chael pethau'n iawn. Meddyliodd am ganmoliaeth Andy am gledr ei law a cheisiodd ei ddefnyddio gymaint â phosibl, ond roedd hi fel petai e'n ceisio'n rhy galed ac fe lwyddodd i daro'r bêl allan o'r cwrt.

Wrth iddo sychu ei dalcen cyn newid ochr, daliodd lygad y dyn yn y tracsiwt llachar, oedd yn syllu'n ddwys arno. Teimlai Craig yn annifyr o achos hyn ac wrth geisio canolbwyntio collodd y gêm nesa. Cyn hir roedd y set gyntaf wedi ei cholli 6-0.

Gwaeddodd ei chwaer air neu ddau o anogaeth ac fe ddeffrodd Craig ryw ychydig a theimlo'n llai dryslyd. Dechreuodd ganolbwyntio'n galetach ar bob ergyd a chyn hir roedd wedi ennill ambell bwynt. Roedd ei wrthwynebydd wedi bod yn chwerthin a thynnu coes gyda chyd-aelodau ei dîm rhwng setiau ac roedd egni newydd Craig wedi ei daflu rywfaint.

Daliodd Craig ati i chwarae'n dda ac ennill ei gêm gyntaf. Wedyn enillodd un arall ac roedd y sgôr yn 3-2 unwaith eto. Cymerodd y chwaraewr arall anadl ddofn a dal llygad ei hyfforddwr a ymatebodd drwy wneud ystumiau â'i law.

Beth bynnag oedd ystyr yr ystumiau, fe gawson nhw'r effaith iawn, ac fe gollodd Craig y ddwy gêm nesa a oedd yn golygu ei fod yn ymladd i aros yn yr ornest. Dechreuodd yn ardderchog a daeth gwaedd o gyfeiriad ei chwaer. Aeth dwy serfiad nesa ei wrthwynebydd i'r rhwyd.

Enillodd Craig y pwynt nesa hefyd, gan adael y sgôr yn 5-3. Ymgasglodd cyd-aelodau ei dîm er mwyn gwylio, ac er iddo frwydro'n galed ac ennill ychydig o bwyntiau, yn y diwedd 6-3 oedd y sgôr.

'Dyna sgôr sydd llawer mwy parchus,' gwenodd ei hyfforddwr. 'Dw i'n credu ein bod wedi gweld bod llawer mwy i dy gêm di nag y mae dy ganlyniadau yn awgrymu. Dw i'n falch drosot ti.'

Roedd Craig yn dal i wenu pan redodd i fyny'r grisiau at le'r oedd ei fam a'i chwaer yn eistedd.

'Da iawn,' gwenodd ei fam. 'Mi wnest ti'n wych i ddod 'nôl. Ro'n ni'n siarad nawr â'r dyn yna fan'na sydd â llawer o syniadau ynglŷn â sut galli di wella. Dyma fe nawr.'

Trodd Craig a gweld y dyn yn y tracsiwt glas, llachar yn dod i fyny'r grisiau fesul dwy y tu ôl iddo.

Estynnodd y dyn ei law. 'Craig, ontefe? Ga i sgwrs?'

Pennod 4

Symudodd Jo o un droed i'r llall i geisio cadw'n gynnes. Roedd gwynt oer yn chwipio ar hyd y lan, ac roedd yn gallu gweld tonnau yn dechrau ffurfio allan yn y bae. Roedd e'n disgwyl i heddiw fod yn anodd.

Edrychodd o gwmpas ar ei gyd-deithwyr oedd yn dweud dim byd wrth ei gilydd. Roedden nhw wedi cyrraedd fesul un dros y chwarter awr ddiwethaf, pob un wedi dod mewn tacsi gyda dim ond un cês ac un bag chwaraeon yr un.

Croesawyd y criw gan ddyn hŷn a wiriodd eu bod wedi dod ar gyfer y cwch cynnar, a thicio eu henwau oddi ar y rhestr. Cymerodd Jo gipolwg ar y rhestr a gweld mai pum enw oedd arni a olygai bod un person heb gyrraedd.

Aeth at y ferch oedd yn gwisgo'r got fawr fwyaf synhwyrol – siaced fawr drwchus gyda chwcwll â ffwr arni.

'Ti wedi paratoi'n dda,' gwenodd. Gwenodd y ferch yn ôl. 'Do, nethon nhw ddweud ein bod ni'n mynd i ynys felly wnes i benderfynu aros yn sych. Kim ydw i, gyda llaw.'

Cyflwynodd Jo ei hun a siaradodd y ddau am

y daith yno. Roedd Jo wedi cael ei gasglu o'i gartref yng Nghaerdydd yn oriau mân y bore ac wedi ceisio cysgu wrth i'r tacsi wibio ar draws y wlad. Roedd Kim wedi teithio o Aberystwyth nad oedd yn bell o gwbl ac felly roedd hi wedi cysgu cyn i'r car ddod i'w nôl hi. Roedd hi'n hollol effro ac yn llawn bwrlwm am y siwrne o'u blaenau.

'Ble ydyn ni?' gofynnodd Jo.

'Mae'n edrych fel Ceinewydd i fi,' atebodd Kim. 'Mae'n ddirgelwch mawr. Dywedodd y gyrrwr fod rhai i fi adael fy ffôn symudol adre a doedd e ddim yn fodlon dweud wrtha i i le roedden ni'n mynd. Tywyllodd e'r ffenestri erbyn diwedd y siwrne fel nad o'n i'n gallu gweld unrhyw arwyddion ffordd.'

'Dw i wir eisiau fy ffôn er mwyn gweld lle ydyn ni ond dw i'n cymryd y byddan nhw'n gadael i ni wybod,' meddai Jo.

Ond doedd yr hen ddyn ddim yn fodlon ateb unrhyw gwestiwn, dim ond pwyntio ar yr enw olaf ar y rhestr a syllu ar ei oriawr yn ddiamynedd.

Cerddodd Jo at y ddau berson ifanc arall a dweud 'bore da'.

Gwenon nhw 'nôl yn gwrtais gan

ganolbwyntio ar gadw eu sgarffiau dros eu hwynebau wrth i'r diferion cyntaf o law ddechrau disgyn.

'Ajit ydw i,' meddai'r talaf o'r ddau, wrth i'r llall wenu a dweud, 'Jess'.

'Pa gwch fyddwn ni'n mynd arno, sgwn i,' meddai Kim, gan bwyntio at y rhes o gychod bach oedd wedi eu clymu ar hyd y cei.

'O na! Ti'n meddwl ein bod ni'n mynd yn un o'r cychod bach rhwyfo yna?' chwarddodd Jo. 'Mae o leia chwech ohonon ni felly mae'n siŵr taw'r un coch yna gyda ffenestri gawn ni.'

'Dw i wedi dod yma ar gwch yn barod,' meddai Ajit. 'O Iwerddon. Dw i wedi teithio dros nos.'

'Mae rhaid dy fod ti wedi blino'n ofnadwy 'te,' meddai Kim.

'Gysges i'r rhan fwya o'r ffordd,' atebodd Ajit. 'Ond dw i ddim eisiau gweld cwch am sbel!'

Edrychodd y criw ar hyd y cei at gwch bach wedi ei glymu. Roedd lle i sefyll ar y dec uchaf ac edrychai fel pe bai'n cael ei ddefnyddio i gludo twristiaid ym misoedd yr haf.

'Ie, ie, dyna'r cwch bach fyddwn ni'n defnyddio heddiw,' meddai'r hen ddyn ac ochneidiodd Ajit. Ni sylwodd yr hen ddyn gan ei fod yn edrych ar ei oriawr bob dwy eiliad. 'Bydd rhaid i ni adael cyn hir,' ochneidiodd, 'sy'n golygu efallai bydd rhaid i un o'ch grŵp chi golli'r daith.'

'Allen nhw ddod wedyn?' gofynnodd Kim.

Chwarddodd yr hen ddyn. 'Wedyn? Ha ha! Byddan nhw'n aros sbel am y cwch nesa ar gyfer y daith arbennig hon.'

Syllodd yn ôl drwy'r tywyllwch ar hyd y ffordd hir oedd yn arwain at y cei.

'Geith e bum munud arall yna bydd rhaid i ni fynd. Pawb i ddod ar y cwch yma – yn ofalus nawr – a gwnewch eich hunain yn gyffyrddus i lawr yn y gwaelod.'

Arweiniodd Kim y ffordd ar hyd y bompren at y cwch gan lusgo'i llaw ar hyd y canllaw oer. Roedd ofn arni afael yn rhy dynn rhag ofn iddi ddal ei bysedd yn y metal oedd wedi rhewi. Cyrhaeddodd y caban isaf a chynnau'r golau.

Roedd rhesi o seddau ar draws y canol a meinciau ar hyd yr ochrau felly eisteddodd yn y blaen a gollwng ei bagiau ar y llawr.

'Cydiwch mewn siaced achub yr un,' gwaeddodd yr hen ddyn i lawr y grisiau. 'Maen nhw yn y blwch coch ar waelod y grisiau.'

Cododd Jo, Jess, Ajit a Kim eu siacedi achub a'u gwisgo. Newidiodd eu hwyliau wrth fynd ar y cwch – roedden nhw'n poeni llai am yr oerfel ond yn fwy ofnus a nerfus am yr hyn oedd o'u blaenau nhw yn ystod gweddill y noson.

Cerddon nhw o gwmpas y dec isaf ond gan nad oedd unrhyw beth ond tywyllwch o'u cwmpas, doedd dim llawer i'w wneud. Aeth Jo i fyny'r grisiau ac edrych allan.

'Popeth yn iawn?' holodd yr hen ddyn, oedd yn dechrau datod y ceblau oedd yn cadw'r cwch wedi ei angori yn y cei.

'Ydyn, ni'n iawn,' atebodd Jo. 'Pryd fyddwn ni'n gadael?'

'Unwaith y bydda i'n barod ... dau neu dri munud, weden i.' Edrychodd am y tro olaf dros ei ysgwydd a chodi ei law i atal Jo rhag siarad.

'Aros, ti'n clywed hwnna?' Pwyntiodd at yr awyr ddu lle gallai Jo weld dim byd ond tywyllwch a chlywed dim byd ond sŵn dŵr yn taro yn erbyn ochr y cwch.

'Injan ... Ford, weden i,' meddai'r hen ddyn. 'Pam bod ei oleuadau wedi eu diffodd?'

Arhosodd Jo yn dawel, ac ar ôl munud neu ddau, gallai glywed sŵn car yn y pellter. Edrychodd at lle roedd yr heol, yn ôl yr hen ddyn, ond dim ond pan oedd sŵn injan y car yn uchel y daeth y goleuadau ymlaen. Roedd Jo yn gallu ei weld yn symud yn gyflym ac roedd yr hen ddyn yn edrych yn bryderus iawn.

'Ble mae e wedi bod ... a pham mae e'n chwarae 'da'r goleuadau blaen?' meddai o dan ei anadl wrth i'r car agosáu at y cei. 'Hei ti, rho help i fi gyda'r bompren 'ma. Efallai y bydd rhaid i ni symud i ffwrdd yn gyflym.'

Camodd Jo yn ôl ar y tir a helpu'r hen ddyn gyda'i baratoadau wrth iddyn nhw aros i'r teithiwr olaf gyrraedd. Er bod yr hen ddyn yn grwm ac yn llawn crychau, roedd yn rhyfeddol o hyblyg am ei oed ac roedd yn gallu symud yn gyflym iawn. Roedd Jo dan yr argraff ei fod yn gryfach nag yr oedd yn edrych hefyd.

Roedden nhw'n barod i fynd pan gyrhaeddodd tacsi du y cei. Neidiodd y gyrrwr allan a mynd yn syth at yr hen ddyn.

'Sori ein bod ni'n hwyr. Cawson ni'n dilyn ac fe dreulies i dipyn o amser yn cael gwared arnyn nhw. Roedd rhaid i fi yrru'r ugain cilometr diwetha gyda'r goleuadau wedi eu diffodd.' Amneidiodd yr hen ddyn a diolch iddo.

Helpodd Jo yr ymwelydd newydd i fynd â'i fagiau ar y cwch a dweud wrtho am fynd i lawr i'r gwaelod. Aeth yn ôl wedyn at yr hen ddyn a chynnig helpu tynnu'r bompren yn ôl ar y dec, ond llwyddodd yr hen ddyn i wneud hyn ar ei ben ei hun – gweithred yr oedd Jo'n meddwl oedd yn gofyn am gryfder dau berson.

Datododd dyn y tacsi'r rhaff olaf a'i thaflu ar y cwch. Chwifiodd Jo arno ac wrth iddo wylio'r gyrrwr yn dychwelyd i'w gar, sylwodd ar bâr o oleuadau blaen yn ymddangos ar y gorwel. Dangosodd y goleuadau i'r hen ddyn a chnôdd hwnnw ei wefus.

'Ocê, ddiffoddwn ni oleuadau'r caban a'i siapio hi o 'ma mor glou â phosib.'

Gorchymynnodd i'r gyrrwr fynd 'nôl ffordd arall. 'Tria'u harwain nhw ar gyfeiliorn – gei di gildwrn da,' gwaeddodd a chododd y gyrrwr ei fawd yn ôl arno.

Aeth yr hen ddyn i'w le ar y dec, tanio'r injan a diffodd y goleuadau i gyd. 'Daliwch yn dynn, mae taith a hanner o'ch blaenau!' gwaeddodd ar y teithwyr.

Aeth Jo i ymuno â'r lleill, oedd yn edrych yn fwy ac yn fwy nerfus.

Gwenodd y bachgen newydd arno, 'Diolch am yr help gyda'r bagiau. Ro'n ni wedi brysio a ddim yn siŵr lle o'n i.'

'Dim problem. Jo ydw i gyda llaw.'

'Helô, Craig dw i.'

Pennod 5

Symudodd *Seithennyn*, sef enw'r cwch, o'r cei ac allan i'r môr tywyll. Gwyliodd Jo'r hen ddyn wrth iddo arwain y cwch drwy'r tonnau, gan ei wyro o un ochr i'r llall wrth deithio drwy'r dyfroedd yr oedd yn amlwg yn eu hadnabod fel cefn ei law.

Gyrhaeddon nhw bendraw'r harbwr lle gwelodd Jo oleudy'n fflachio a achosodd i'r hen ddyn edrych yn ôl dros ei ysgwydd. Doedd dim sôn am unrhyw weithgaredd yno a dim sôn am unrhyw un o'r ceir. Mae'n rhaid bod y gyrrwr tacsi wedi arwain y gyrrwr arall oddi yno yn llwyddiannus. Doedd Jo ddim yn deall o gwbl pam fyddai unrhyw un yn eu dilyn a pham bod yr hen ddyn mor bryderus a difrifol am y cwbl.

Roedd y noson wedi bod yn llawn dirgelion. Roedd ei fywyd wedi newid ar ôl y gêm wael yna pan gyfarfu â Frank a'i het, ond doedd e dal ddim yn siŵr pam.

Cofiodd Jo am y teimlad erchyll yn ei stumog wrth iddo aros yn y car tra bod ei rieni'n siarad â'r dieithryn rhyfedd oedd yn dangos pethau iddyn nhw ar ei iPad. Doedd e ddim yn gallu dychmygu beth roedd Frank eisiau gyda'i rieni ac ni chafodd unrhyw synnwyr ganddyn nhw chwaith, gan iddyn nhw ddychwelyd i'r car a dweud eu bod wedi addo cadw'r gyfrinach.

Pan oedden nhw'n eistedd yn y car, eglurodd ei dad fod Frank yno i ddweud wrthyn nhw fod Jo wedi cael ei ddewis ar gyfer cyfle unigryw o ran addysg a chwaraeon oedd yn golygu ei fod yn gorfod byw oddi cartref, ond pe bydden nhw'n rhoi rhagor o wybodaeth i Jo byddai'n colli'r cyfle. Dywedon nhw wrth Jo fod angen rhagor o amser arnyn nhw i feddwl am y peth ond bod Frank wedi lleddfu eu gofidiau, a'r prif deimladau oedd ganddyn nhw ar y dechrau oedd cyffro oherwydd y cyfle arbennig y byddai Jo yn ei gael.

Edrychodd Jo drwy'r ffenest wrth i rieni ei ffrindiau eu gyrru nhw oddi yno un ar ôl y llall a dyfalodd a fyddai'n eu gweld nhw byth eto. Roedd Jo'n ymddiried yn ei rieni ac yn gwybod mai nhw oedd yn gwybod orau, felly pan ddywedon nhw wrtho y dylai fynd roedd yn hapus i dderbyn y gwahoddiad, ond roedd ganddo lwyth o gwestiynau ac roedd ychydig yn bryderus, a bod yn onest. Edrychodd ar ei fam, ond doedd hi ddim wedi dweud rhyw lawer ac roedd hi'n amlwg ei bod hi ar fin crio.

Treuliodd Jo'r ddau ddiwrnod nesa mewn rhyw fath o freuddwyd – roedd yn gyffrous ond yn nerfus am yr hyn oedd o'i flaen. Cadwodd yn glir o'i gyd-chwaraewyr dros y penwythnos, oherwydd embaras yn fwy na dim am nad oedd yn gwybod beth oedd wir yn digwydd.

Ddwy noson wedyn, cafodd ei ddeffro gan ei dad a ddywedodd wrtho am wisgo. Lawr llawr, roedd ei fam wedi pacio ei fagiau'n barod ar ei gyfer. Dywedodd ei dad wrtho fod Frank wedi tecstio i ddweud y byddai dyn y tacsi yno am ddau o'r gloch y bore.

Eisteddon nhw wrth y bwrdd yn siarad yn lletchwith tan iddo gyrraedd, gan osgoi siarad am y rheswm roedd Jo yn gadael ond gan ddymuno'n dda iddo. Dywedon nhw hefyd eu bod yn falch iawn ohono, ond doedd Jo ddim yn deall pam.

Roedd Jo wedi cael cyfarwyddiadau naill ai i adael ei ffôn symudol yn y tŷ neu ei roi i'r gyrrwr tacsi i'w gadw, ac fe benderfynodd mai dyna oedd yr opsiwn gorau – o leiaf roedd yn cynnig gobaith y byddai'n ei gael yn ôl yn gynt. Roedd yn amlwg fod ei fam yn bryderus, a gofynnodd i Jo addo y byddai'n gadael iddyn nhw wybod ei fod yn ddiogel cyn gynted ag y gallai.

Roedd y gyrrwr yn gyfeillgar ond awgrymodd fod Jo'n cysgu peth o'r daith gan ei fod yn hir ac na fydden nhw'n cyrraedd cyn iddi wawrio. Roedd Jo wedi cymryd ei gyngor ac wedi cysgu bron yr holl ffordd, gan ddeffro unwaith yn unig pan alwodd y gyrrwr tacsi am betrol a chau'r bŵt yn glep. Roedd hi'n dal yn dywyll nawr wrth i Jo edrych tuag at y dwyrain i weld a oedd unrhyw arwyddion bod y wawr yn torri wrth i *Seithennyn* symud drwy'r bae ac allan i'r môr mawr.

Edrychodd Jo ar y pedwar teithiwr arall. Roedd Kim i'w gweld yn neis iawn ond ychydig yn swil, a hi oedd yn ymddangos fwyaf dibryder am y siwrne. Roedd Ajit yn byrlymu â chyffro – neu nerfau – a doedd e ddim yn gallu eistedd yn llonydd wrth iddo rasio o un ochr o'r cwch i'r llall. Roedd Jess hefyd yn llawn cyffro ac yn gofyn llawer o gwestiynau, er nad oedd unrhyw un yn gallu eu hateb. Roedd Craig yn edrych yn flinedig iawn – efallai bod y daith wedi ei ddiflasu. Doedd e ddim i'w weld â llawer o ddiddordeb i sgwrsio â'r lleill.

Bob ryw gan metr, byddai siâp tywyll arall yn ymddangos yn y tywyllwch wrth iddyn nhw basio craig arall neu ynys fach.

‘Mae tŷ ar yr ynys yna,’ meddai Ajit, wrth weld golau yn y pellter. Ymhellach i ffwrdd, roedd goleuadau yn cael eu troi ymlaen wrth i foregodwyr ar y tir mawr ddeffro i ddechrau eu diwrnod.

‘Mae’r wawr ar fin torri,’ meddai’r hen ddyn. ‘Does dim llawer o amser gyda ni.’

Edrychodd y pum plentyn ar ei gilydd.

‘Pam nad ydyn nhw’n dweud beth sy’n digwydd?’ holodd Kim.

‘Gewn ni wybod cyn bo hir, cyn belled nad yw e’n taro mynydd iâ,’ gwenodd Craig.

Chwarddodd y gweddill ac astudio’r tonnau y tu allan am unrhyw newid yn y môr.

Pwyntiodd Jo at yr olygfa o’u blaenau. Roedd y gorwel bellach yn aur a sŵn y gwylanod yn cryfhau.

‘Mae hi’n gwawrio. Os yw e eisiau cyrraedd cyn iddi oleuo, well iddo’i siapio hi.’

Pennod 6

Doedd dim un o'r teithwyr yn forwyr ond roedden nhw gyd yn gytûn bod *Seithennyn* wedi cyflymu'n sylweddol wedi i Jo awgrymu y byddai'n well iddo'i siapio hi.

'Morloi!' meddai Jess wrth iddyn nhw basio ynys fach, gul lle'r oedd dwsinau o'r creaduriaid. Rhyfeddodd pawb atyn nhw ond syrthiodd Jo a Kim wrth i'r cwch symud yn sydyn i un ochr.

'Sori,' meddai'r hen ddyn. 'Ro'dd rhaid newid cyfeiriad ond ni bron yna nawr.'

Ymgasglodd y pump ym mlaen y dec isaf gan syllu ar y môr o'u blaenau wrth i'r awyr oleuo.

'Ni 'di gadael yr ynysoedd bach y tu ôl i ni,' gwgodd Ajit. 'Fydda i 'nôl yn Iwerddon nawr!'

Teithiodd y cwch am ryw dri munud arall cyn i'r hen ddyn alw arnyn nhw eto. 'Reit bawb, daliwch yn dynn achos dw i'n mynd i'w throi hi rownd eto. Ni 'di cyrraedd.'

Cydiodd Jo yn y canllaw ac edrych ar y tonnau – doedd dim byd i'w weld o'i gwmpas ond dŵr. Oedd yr hen ddyn yn wallgo? Ble oedd e'n mynd â nhw?

Ar ôl i *Seithennyn* ddod i ddiwedd ei daith,

diffoddodd yr hen ddyn yr injan a dod i lawr y grisiau.

'Gobeithio i chi fwynhau'r daith yn yr hen *Seithennyn*,' gwenodd, gan dderbyn cymysgedd o ochneidiau a chwynion fel ymateb. 'Wel, fe alla i ddweud wrthoch chi nawr ein bod wedi cyrraedd pen y daith a dim munud yn rhy gynnar. Mae gen i eiliad neu ddwy i ddweud ychydig wrthoch chi am ein lleoliad. Y dre adawon ni oedd Ceinewydd yng Ngheredigion.'

'Wedes i,' meddai Kim.

'Ni nawr ym mhell bell allan ym Mae Ceredigion, rhwng y Môr Celtaidd a Môr yr Iwerydd. Dw i'n siŵr eich bod chi i gyd wedi clywed am Gantre'r Gwaelod?'

'Ond mae Cantre'r Gwaelod wedi diflannu!' meddai Craig.

'Ydy e?' holodd yr hen ddyn.

'Ydy. Mae wedi hen ddiflannu. Wedi boddi. Dyna ges i fy nysgu yn yr ysgol.'

'Oes tystiolaeth gen ti o hyn?'

Edrychodd Craig yn syn arno. Am beth oedd y dyn yma'n rwdlan?

'O'n i'n meddwl yr un peth,' meddai Jess.

'Does dim bai arnat ti am feddwl bod Cantre'r Gwaelod wedi boddi. Dyna beth mae'r rhan fwya o bobl yn ei feddwl. Dyna beth mae'r llyfrau hanes, y straeon, y chwedlau, a'r caneuon yn ei ddweud. Ond, mae darn ohono'n dal i fodoli. Ar ffurf ynys.'

'Ble?' gofynnodd Kim. 'Y stori yw bod y môr ym Mae Ceredigion wedi llifo drwy'r drysau ac wedi boddi'r bobl a'r tir ... ac roedd Cantre'r Gwaelod y tu fas i Aberystwyth.'

'Oedd e?' meddai'r hen ddyn.

'Oedd. Ma pawb yn gwybod 'ny. A dw i'n byw yn Aber. Bydden i wedi gweld y lle tase fe'n bodoli. A bydde pawb yn gwybod amdano fe.'

'Mae Cantre'r Gwaelod yn bodoli o hyd. Ynys sydd o dan y dŵr yw hi mewn gwirionedd. A phob pedair blynedd, ar y nawfed ar hugain o Chwefror, mae'r ynys yn dod i'r golwg ar wyneb y dŵr. Dyw hi ddim yn aros yn hir, rhyw awr efallai, ond mae hi'n werth ei gweld. Cantre'r Gwaelod yw'r ynys hardda, gyfoethoca a mwya hudol i unrhyw un ei gweld erioed. Ond does dim llawer o bobl yn cael y wefr honno.'

Syllodd y teithwyr yn geg agored ar yr hen ddyn wrth iddo adrodd y stori.

'Gall hyn ddim bod yn wir,' meddai Ajit. 'Dw i ddim wedi clywed y stori ond mae'n swnio fel un o chwedlau Iwerddon. Chwedlau ydyn nhw – dydyn nhw ddim yn wir.'

'Dw i ddim yn cofio'r stori,' meddai Jo.

'O'dd Seithennyn yn cadw golwg ar y môr,' meddai Kim. 'Ond buodd e'n yfed gwin a syrthiodd e i gysgu a daeth y llanw dros y wlad a boddi pawb.'

'Ie, Seithennyn bach,' meddai'r hen ddyn. 'O'dd e'n foi iawn. Bydde fe wedi bod wrth ei fodd o gael cwch wedi ei enwi ar ei ôl e.'

Edrychodd y plant ar ei gilydd. Oedd yr hen ddyn yma'n dweud y gwir? Ac os nad oedd, i ble oedden nhw'n mynd?

'Edrych,' ebychodd Jo, wrth iddo bwyntio at ffrwtian a phefrio yn y dŵr, fetrau yn unig o'u cwch.

'Aros,' cyfarthodd yr hen ddyn, 'fe droith hwnna'n don fawr.'

Daliodd y teithwyr yn dynn eto a gwylio mewn rhyfeddod wrth i swigen fawr o ddŵr dyfu yn y môr, gyda dŵr yn rhuthro oddi wrthi wrth iddi godi yn yr awyr.

Byrstiodd y swigen, a'r tu mewn iddi roedd ynys fach tua maint dau gae pêl-droed wrth ochr ei gilydd gydag allt serth ar yr ochr orllewinol i'r hyn oedd yn edrych fel clogwyni. Yn union yn y canol, cyn i'r tir godi, roedd bwthyn carreg gyda tho tun rhydlyd.

'Dyna le ni'n mynd?' sibrydodd Jo wrth Jess. 'Dyw e ddim yn edrych yn fawr o gyfle addysgiadol i fi.'

Wedi i'r dyfroedd dawelu, aildaniodd yr hen ŵr yr injan a hwylio *Seithennyn* mor agos ag y gallai at yr ynys newydd. 'Reit, bydd rhaid i ni fynd gweddill y ffordd mewn cwch bach,' meddai.

Gollyngodd gwch oren, llachar mewn i'r môr wrth ochr y cwch mwy, a helpu'r teithwyr wrth iddyn nhw lwytho'u bagiau arno. Aeth ef â nhw draw i'r ynys mewn llai na munud a thynnu'r bagiau oddi arno'n gyflym cyn dychwelyd at *Seithennyn*.

'Byddwch yn ofalus yn mynd mewn ac allan o hwn,' meddai. 'Dy'ch chi ddim eisiau syrthio i mewn i Fôr yr Iwerydd yr adeg yma o'r flwyddyn.'

Camodd y plant yn ofalus iawn dros y dyfnderoedd du ac at y lan gyda help yr hen ddyn, a mynd at eu bagiau wrth iddo lusgo'r cwch 'nôl ar y gwair.

'Wel, dyma ni,' gwenodd. 'Croeso i chi i gyd i Gantre'r Gwaelod ac i Academi'r Campau.'

Pennod 7

'Dyw hi ddim yn ynys fawr iawn,' ochneidiodd Kim, wrth iddi bwyntio o un pen iddi i'r llall.

'Wel ... Mae tipyn mwy na hyn i'r ynys,' gwenodd yr hen ddyn.

'Allwch chi ddweud wrthon ni beth ni'n neud yma, plis?' gofynnodd Jess, oedd yn edrych fel pe bai hi wedi cael llond bol erbyn hyn.

'Wel, fe ga' i gael hoe bach am dipyn – roedd hi'n noson hir, a rhag ofn nad ydych chi wedi sylwi, fi sydd wedi bod yn neud y rhan fwya o'r gwaith dros yr awr ddiwetha.'

Eisteddodd yr hen ddyn ar graig ac edrych o'i gwmpas. 'Dw i ddim wedi bod yma ym Mae Ceredigion ers pedair blynedd a dw i wedi bod yn edrych ymlaen yn arw at fwynhau'r olygfa.'

Gadawodd Jo ac Ajit eu bagiau a chrwydro tuag at y bwthyn. Roedd gan Jo deimlad rhyfedd yn ei fol – ai jôc wael oedd hyn i gyd? Oedd ei rieni wedi cael eu twyllo i gredu eu bod yn mynd i ryw ysgol anhygoel? Dechreuodd boeni.

'Paid mynd mewn i fan'na eto,' rhybuddiodd yr hen ddyn. 'Mae'r allwedd gen i, ta beth.'

Cododd Jo ei fraich i ddangos ei fod wedi

deall a mynd tuag at y clogwyni. Roedden nhw'n codi'n serth o'r môr gan wneud i'r ynys edrych fel darn anferth a thenau o gacen yn arnofio ar wyneb y tonnau.

'Meddyliwch,' meddai Ajit, gan bwyntio at y môr. 'Pe baen ni wedi parhau i hwylio yn *Seithennyn* fydden i wedi cyrraedd adre i Iwerddon.'

'Dw i'n credu y bydden ni wedi cyrraedd gwaelod y tanc petrol yn gynta, Ajit,' gwenodd Jo. 'Fydde'r hen gwch rhydlyd yna ddim wedi mynd â ni lawer pellach.'

'Gobeithio nage tric yw hwn. Dywedodd Mam a Dad wrtha i 'mod i'n mynd i rywle anhygoel – ond ma fe'n edrych fel twll o le.'

Trodd y ddau yn ôl a cherdded i lawr yr allt serth tuag at y bwthyn. Roedd ei waliau'n ymddangos hyd yn oed yn fwy llachar na phan welson nhw'r lle am y tro cyntaf o'r môr. Doedd dim ffenestri ganddo ac roedd gan yr unig ddrws fariau ar ei draws a hwnnw wedi ei gloi a dim i'w weld ond twll clo, fel pe bai'n cuddio rhywbeth oddi mewn.

'Mae'n edrych fel taw i fan'na ni'n mynd yn y pendraw,' meddai Jo. 'Fydde hi'n neis dianc o'r gwynt oer 'ma.'

Ymunon nhw â'r lleill ar lan y môr. Dywedodd yr hen ddyn wrthyn nhw pa mor bell roedden nhw wedi dod wrth i'r ynysoedd eraill ddiflannu yn y pellter dan yr awyr oer a llwyd, ac roedd penrhyn yr ynys yn smotyn, du, pŵl yn bell, bell i ffwrdd.

'Weli di pa mor serth ydi'r clogwyni yna, Jo?' gofynnodd yr hen ddyn. 'Mae hi fel petai rywun wedi gafael mewn bwyell a thorri'r ynys yn ddarnau.'

Roedd breichiau Jess wedi eu plethu'n dynn a throdd ei chefn ar y gwynt, a oedd yn dechrau cryfhau.

'Allwch chi *plis* ddweud wrthon ni beth ni'n neud yma, neu ddangos i ni pwy sy'n gyfrifol amdanon ni,' gofynnodd i'r hen ddyn eto. 'Dw i wir eisiau mynd mewn o'r gwynt 'ma cyn i fi rewi.'

Gwenodd gyrrwr y fferi yn ôl. 'O, iawn 'te, awn ni mewn a galla i egluro ychydig mwy i chi.'

Arweiniodd y pump ohonyn nhw i fyny'r allt at y bwthyn cyn oedi i agor y clo. Ar ôl troi'r allwedd sawl gwaith yn galed, agorodd y drws.

'Dyw hi ddim yn beth da i glo gael ei agor 'mond unwaith bob pedair blynedd,' gwenodd yr hen ddyn. 'Dewch i mewn a byddwch yn ofalus.'

Edrychodd y pump i mewn i'r tywyllwch yn bryderus a dilyn yr hen ddyn wrth iddo gerdded drwy'r drws a throi'r golau ymlaen.

Cymerodd y bobl ifanc eiliad neu ddwy i allu edrych yn iawn ar yr ystafell ryfeddol. Roedd holl waliau'r bwthyn wedi eu paentio'n wyn llachar, ac roedd dolenni arian sgleiniog oddi mewn i'r drws a ffenestri unffordd â golygfa o Gantre'r Gwaelod drwyddyn nhw.

'Sut maen nhw'n gwneud hynna?' gofynnodd Ajit, gan bwyntio at y ffenestri.

'Dw i'n meddwl mai dyna'r cwestiwn lleia pwysig ar y foment,' meddai Jo dan ei anadl wrth iddo fwrw golwg o amgylch yr ystafell. Y peth mwyaf diddorol iddo oedd y grisiau oedd yng nghanol y llawr ac yn arwain at ddrws arian llachar. Yn sydyn, trodd y ddolen ac ymddangosodd dyn tal a gwenu arnyn nhw i gyd cyn mynd i fyny'r grisiau.

'A, Kalvin,' meddai'r hen ddyn, 'dyma'n disgyblion newydd ni – Kim, Jess, Ajit, Craig a Jo. Maen nhw i'w gweld yn griw bywiog ond mae eisiau iddyn nhw gynhesu ychydig bach.'

Amneidiodd Kalvin, clicio ei fysedd ac yn sydyn roedd yr ystafell yn gynnes, braf. 'Digon twym?' gofynnodd.

Roedd Jo yn falch nad oedd hi'n rhewllyd mwyach, ond doedd e ddim yn deall sut roedd Kalvin wedi gwneud hyn mor hawdd. Edrychodd ar Kim yn nerfus.

'Croeso i Gantre'r Gwaelod,' meddai Kalvin. 'Gobeithio y byddwch chi'n mwynhau aros yma.'

'Ie, ond allwch chi ddweud wrthon ni beth sy'n digwydd?' gofynnodd Kim eto. 'Dyw'r llongwr hyn ddim fel pe bai e'n gwybod beth mae'n neud, falle allech chi ein helpu ni neu fynd â ni at rywun sy'n gyfrifol amdanon ni.'

'Na, allen i ddim dweud pethau fel 'na wrthych chi, mae'n rhaid i fi fynd nawr er mwyn paratoi'r cwch cyn iddo fe fynd 'nôl i'r tir mawr cyn i'r ynys ddiflannu eto, a fydd yn digwydd mewn ...' edrychodd ar ei oriawr, 'saith munud a dau ddeg dau o eiliadau. Felly well i fi fynd.'

Cerddodd Kalvin at ddrws y bwthyn a throi yn ôl i siarad â nhw. 'Dw i'n awgrymu eich bod chi'n mynd i lawr y grisiau mor gyflym â phosib a bod yr "hen longwr" yn dweud wrthoch chi beth sy'n digwydd nesa. Wedi'r cwbl, fe yw'r rheswm ry'ch chi yma – enw'r llongwr yma yw Gwyddno ac fe yw brenin Cantre'r Gwaelod.'

Pennod 8

'Ti yw'r ... brenin?' holodd Kim mewn anghrediniaeth.

'Ie wir, Kim, wel, mewn ffordd. Ond am nawr, beth am i ni gyd frysio gan fod fy amser i yma yn fyr,' atebodd Gwyddno. 'Gadewch i fi egluro pwy ydw i. Fy hen, hen, hen, hen daid oedd Gwyddno, brenin Cantre'r Gwaelod. Pan foddwyd y tir, ni chafodd pawb eu lladd. Torrodd darn o'r tir oddi wrth yr arfordir ac arnofio'n bell allan i Fôr yr Iwerydd. Roedd Gwyddno wedi goroesi ynghyd â chriw bach o bobl. Cuddion nhw ar yr ynys am flynyddoedd – ganrifoedd a dweud y gwir. Ac roedd ganddyn nhw holl drysor Cantre'r Gwaelod yn eu dwylo. Galwodd Gwyddno ei fab yn Gwyddno hefyd a pharhaodd yr enw yn y teulu tan i mi gael fy ngeni. Doedd fy mrawd, Gwilym, ddim yn hapus mai fi gafodd enw'r brenin ac etifeddu'r rhan fwya o'r cyfoeth, er mai fi oedd y cyntaf-anedig. Mae honno'n stori arall ...'

'Ond ydych chi'n frenin go iawn?' gofynnodd Ajit.

'Dim ond Kalvin sy'n cael fy ngalw i'n

"Frenin". Jôc fach. Mae e wedi bod yn gweithio i fi ers blynyddoedd mawr ac mae'n rhan bwysig o'm tîm, fel y byddwch yn dod i ddeall. Roedd hi'n dda dod i'ch adnabod chi i gyd yn ystod y noson hir yna wrth ddod yma, ond byddwch chi ddim yn fy ngweld i ryw lawer dros y misoedd nesa. Rwy'n mynd i ffarwelio â chi nawr, ond cyn hir byddwch yn cwrdd â Mererid sy'n rheoli Academi'r Campau. Wnaiff hi egluro'r cwbl.'

Ac yna aeth Gwyddno 'nôl allan drwy'r un drws.

Dychwelodd Kalvin ac arwain y pump i lawr y grisiau a thrwy'r drws dur mawr. Helpodd Jo i'w wthio yn ôl i'w le ac ailosod y bolltau er mwyn ei gloi.

Aeth â nhw i ystafell arall lle'r oedd rhesi o seddi fel seddi awyren.

'Gwisgwch wregys,' meddai wrthyn nhw. 'Wnaiff hyn ddim cymryd yn hir, ond gall y don gynta wneud i chi syrthio weithiau felly mae'n well bod yn ofalus.'

Ufuddhaodd y pum person ifanc wrth i Kalvin wirio'r drws unwaith eto cyn eistedd ar ben y rhes a chau ei wregys.

Edrychodd ar ei oriawr a chyfri. '8 ... 7... 6 ... 5 ... Daliwch yn dynn ... 3 ... 2 ...'

Teimlodd Jo'r ystafell yn symud i fyny ac ysgydwodd popeth o fewn y waliau yn wyllt. Roedd yn falch ei fod yn gwisgo gwregys gan y byddai'n siŵr o fod wedi hedfan o gwmpas y lle fel doli glwt. Yna, teimlai fel pe bai'n syrthio. A chyn pen dim, roedd wedi glanio'n ysgafn.

Datododd Kalvin ei wregys a sefyll.

'Dw i'n dal ddim wedi dod i arfer â hwnna,' gwenodd. 'Ydy pawb yn iawn?'

Amneidiodd y bobl ifanc a datododd pob un ei wregys.

'Beth ti'n meddwl sydd wedi digwydd?' gofynnodd Craig.

'Dw i ddim yn gwybod. Daeargryn falle?' awgrymodd Ajit.

Ysgydwodd Jo ei ben. 'Mae'n od, ond ymddangosodd yr ynys allan o'r môr. Dywedodd Kalvin rywbeth amdani'n diflannu eto. Falle ei bod hi wedi suddo 'nôl o dan y dŵr?'

'Felly ry'n ni dan y môr mewn rhyw long danfor enfawr!' ebychodd Jess yn llawn ofn.

'Nid boddi wnaeth Cantre'r Gwaelod 'te,' meddai Craig, 'ond symud. Mae'r ynys yn gallu teithio.'

Yn sydyn, agorodd drws yng nghefn yr ystafell a cherddodd chwech o bobl i mewn, pob un wedi ei wisgo mewn tracsiwt o liw gwahanol.

'Roedd e yn fy ngornest dennis,' sibrydodd Craig wrth Jo, gan bwyntio at y dyn yn y wisg las.

'A dyna Kelly. Gwrddes i â hi yn y rygbi,' meddai Kim.

Safodd y chwe oedolyn mewn rhes ar ben uchaf yr ystafell, cyn i fenyw dal mewn dillad coch gamu ymlaen.

'Bore da, dw i'n gwybod eich bod chi i gyd wedi cael siwrne hir a chaled, a byddwch chi'n cael mynd i'ch ystafelloedd gwely cyn gynted a dw i wedi gorffen yn fan hyn. Ond mae gen i rai pethau i'w hegluro wrthoch chi a fydd yn eich helpu i gysgu'n well, gobeithio,' gwenodd. 'Cantre'r Gwaelod yw cartre Academi'r Campau,' meddai, 'a'r pump ohonoch chi yw'r disgyblion cynta mewn pedair blynedd. Nid yw ein hynys ond yn ymddangos o'r môr am awr bob pedair blynedd, ac ar bob achlysur ry'n ni'n dod â phum plentyn newydd yma.'

Edrychodd Jo ar hyd y rhes o oedolion gan adnabod yr un lleiaf â'r het ffasiynol. Roedd mewn tracsiwt du nawr ac yn edrych yn syth o'i flaen.

'Ond beth yw Academi'r Campau?'

gofynnodd Craig. 'Dw i ddim wedi clywed am y lle – pa fath o ysgol yw hi?'

'Wel, ti'n iawn, ysgol yw hi,' atebodd Mererid, 'ond mae'n llawer mwy na hynny, hyd yn oed. Ry'n ni wedi cyfuno'r meddyliau a'r athrawon gorau yn y byd er mwyn eich hyfforddi chi'ch pump i fod y gorau y gallwch fod.'

'Y gorau yn gwneud beth?' gofynnodd Jo.

'Wel yn dy achos di, Jo, chwarae pêl-droed.'

Cochodd Jo a chwerthin. 'Ti'n jocian,' meddai. 'Mae hyd yn oed fy hyfforddwr i yn dweud bod gen i ddwy droed chwith – neu ddwy droed dde.'

Camodd y dyn byr yn y tracsiwt du ymlaen.

'Na, Jo, roedd dy hyfforddwr di'n anghywir. Hollol anghywir. Rwyt ti'n un ar ddeg oed nawr – erbyn i ti orffen yn Academi'r Campau, byddi di'n bymtheg. A ti fydd y chwaraewr pêl-droed pymtheg oed gorau yn y byd.'

Pennod 9

'Wimbledon i'r ifanc? Ai jôc yw hyn?' meddai Craig, wrth iddo godi ei fag ar ei wely.

'Ac maen nhw'n meddwl y gallen i chwarae hyrling dros fy ngwlad. A chriced cenedlaethol hefyd,' chwarddodd Ajit.

Roedd Craig, Ajit a Jo'n rhannu ystafell bellach ac roedden nhw'n dechrau ymlacio yn eu cartref newydd.

'Mae hyn mor cŵl,' meddai Jo, gan archwilio'r ystafell fawr oedd yn cynnwys tri gwely, cypyrddau a desgiau, ac roedd cyfrifiadur newydd sbon ar bob un a phob un mewn lliw gwahanol. Pwysodd y botwm i droi'r cyfrifiadur ymlaen ond ni ddigwyddodd unrhyw beth.

'Dywedon nhw y bydden nhw'n mewnosod y pethau hynny i gyd nes ymlaen ar ôl i ni gael ychydig o gwsg,' gwenodd Ajit.

'Sut maen nhw'n disgwyl i ni gysgu?' gofynnodd Jo. 'Dw i'n gwybod ein bod wedi bod i fyny drwy'r nos ond mae fy mhen i'n troi ar ôl popeth,' ychwanegodd yn ddryslyd.

'Felly wyt ti'n rhyw fath o seren bêl-droed?' gofynnodd Craig iddo.

‘Dim o gwbl,’ chwarddodd Jo. ‘I’r gwrthwyneb. Dw i’n siŵr mai fi yw’r chwaraewr gwaethaf ar y tîm yn ein cynghrair ni. Tynnu coes maen nhw, dw i’n meddwl.’

Ar ôl iddyn nhw baratoi i fynd i’r gwely, eglurodd Jo’r gyfres o ddigwyddiadau a ddaeth ag ef i’r lleoliad rhyfedd hwn, ac ar ôl iddo orffen dywedodd Craig ei stori ef hefyd.

Ochneidiodd Ajit a gwenu ar y ddau ohonyn nhw. ‘Well i fi egluro pam dw i yma hefyd ’te – ond mae’n rhaid i chi addo peidio â chwerthin.’

‘Daeth Mam a Dad yma o India tua ugain mlynedd yn ôl a chafodd fy chwiorydd bach a fi ein geni yma. Mae Dad wrth ei fodd â chriced ond doedd dim timau yn agos i ni felly mae’n ei ddilyn ar y we a’r teledu nawr.

‘Tua dwy flynedd yn ôl, brynodd e fat i fi a dechrau fy addysgu am y gêm. Dim ond y ddau ohonon ni oedd wrthi yn y parc lleol, ac weithiau byddai Mam a’m chwiorydd yn helpu drwy redeg ar ôl y bêl. Dw i wrth fy modd â’r gêm, yn enwedig batio, a dw i wir yn mwynhau bwrw’r bêl mor bell ag y galla i.

‘Dechreuon ni chwarae hyrling yn yr ysgol a ro’n i wrth fy modd â hwnnw hefyd ond dw i ddim yn dda iawn. Roedd hi’n anoddach canolbwyntio hefyd, achos gyda chriced mae'n rhaid i chi ganolbwyntio ar bob pêl, ond gyda hyrling roedd fy meddwl yn crwydro pan oedd y bêl y pen arall. Chi'n dal y bat a'r hyrl mewn ffyrdd gwahanol hefyd felly o'n i'n drysu'n hawdd.'

'Yna, wythnos diwetha, chwaraeon ni yn erbyn tîm o'r ddinas. Roedd fy meddwl yn crwydro a dyma fi'n clywed un o aelodau'r tîm yn gweiddi fy enw i. O'n i mewn byd arall ond yna fe welais i'r sliotar – sef y bêl – yn dod ata i.

'Camais i ati fel petawn i'n chwarae criced a'i tharo'n berffaith. Cododd y bêl i'r awyr ac roedd hi'n dal i godi pan aeth hi rhwng y pyst.'

Chwarddodd Jo. 'Gethon nhw gyd sioc?'

'O do,' meddai Ajit. 'Roedd y bois wrth eu bodd, ond roedd yr hen ddyn sy'n ein hyfforddi ni ychydig yn ddiflas amdano fe wedyn, er taw dyna'r unig bwynt i ni sgorio yn ystod yr ail hanner i gyd.'

'O ie, anghofies i sôn 'mod i'n chwarae fel amddiffynnwr. Pan wnes i glirio'r bar mi o'n i ryw ddeg metr y tu fewn i'n hanner ni. Aeth y bêl tua chwedeg metr cyn croesi'r bar, a byddai'n siŵr o fod wedi gallu mynd rhyw dri deg arall neu fwy. Roedd y dyfarnwr bron â llyncu ei chwiban mewn sioc.'

‘Waw,’ ebychodd Craig. ‘Ac oedd rhywun yn gwylio o’r Academi?’

‘Oedd,’ meddai Ajit. ‘Dw i ddim yn meddwl ei bod hi yna jyst i fy ngwylio i ond fe ddaeth hi at fy rhieni ar ôl y gêm a dweud ei bod eisiau siarad â nhw. Ddywedon nhw ddim wrtha i beth oedd y cynllun ond ... wel, dw i yma nawr.’

Pennod 10

Yn eu hystafell, roedd Kim a Jess hefyd yn dod i arfer â'u cartref newydd.

'Dw ddim yn gallu credu hyn,' meddai Jess wrth iddi orwedd yn ôl ar ei gwely. 'Mae heno wedi bod yn anghredadwy. Mae'n dal yn teimlo fel breuddwyd ryfedd.'

'Ydy, mae hi fel ein bod ni wedi bwyta gormod o gaws cyn amser gwely,' atebodd Kim. 'Dyna beth mae Mam yn dweud wrtha i o hyd.'

'Dw i'n ceisio peidio meddwl gormod am fod o dan y dŵr, a beth fyddai'n digwydd pe bydde twll yn yr ochr a dŵr yn dod i mewn,' meddai Jess. 'Ti ddim yn meddwl y galle hynny ddigwydd, wyt ti?'

'Na!' chwarddodd Kim. 'Dw i'n siŵr eu bod nhw'n cadw llygad ar y math yna o beth. Bydde dim ots gen i os byddai ffenest gyda ni. Bydde hi mor cŵl i wylio'r pysgod yn nofio heibio.'

Chwarddodd Jess. 'Felly, ti'n mynd i fod yn seren rygbi, yn ôl y fenyw yna gynne. Be ti'n meddwl o hynny?'

'Wel, dw i ddim wir yn deall a bod yn onest,' meddai Kim, ar ôl iddi egluro sut roedd hi wedi cyrraedd yr academi. 'Dw i ddim mor dda â hynny, ond dw i wir yn ei fwynhau a bydden i wrth fy modd yn gwella. Efallai mai dyna pam wnaethon nhw fy newis i. Kelly – dyna'r fenyw oedd yn dal clipfwrdd – mae hi i'w gweld yn neis. Beth yw dy stori di 'te?'

Chwarddodd Jess. 'O, dw i'n neb arbennig chwaith. Dw i'n hoffi rhedeg, a daeth y dyn o'r lle 'ma i weld ein diwrnod mabolgampau. Dw i ddim yn tynnu coes – wir i ti, o'n i gyda'r gwaethaf yn fy mlwyddyn ym mhob cystadleuaeth. Enillais i ddim yr un ras na'r un fedal, ond efallai ei fod e'n hapus fy mod i wedi cymryd rhan ym mhob cystadleuaeth, o'r 100 metr hyd at yr 800 metr. Wnes i hyd yn oed redeg yn y ras clwydi a rhoi tro ar y naid hir. Ddywedodd e y bydden i'n mynd i'r gemau Olympaidd – a ma hynny'n syniad anghredadwy.'

'Dw i'n gwybod, mae'r cwbl i weld ychydig yn wallgo, ac i'r bechgyn hefyd,' atebodd Kim. 'Maen nhw'n swnio braidd yn gyffredin yn eu campau nhw hefyd.'

'Ond mae'n rhaid eu bod nhw'n gweld rhywbeth ynddon ni – dw i ddim yn deall pam y bydden nhw wedi trefnu hyn i gyd a gwario'r holl arian er mwyn chwarae jôc arnon ni. Dyw e ddim yn gwneud synnwyr. A dw i wir yn gweld eisiau fy ffôn!'

Dechreuodd Jess ddylyfu gen. 'Wel, dw i ddim yn mynd i adael iddo fe fy rhwystro rhag cysgu. Gawn ni ddigon o amser i benderfynu beth sy'n digwydd ar ôl i ni gael noson o gwsg.' A dyma hi'n rholio drosodd, diffodd y golau bach wrth ei hochr a syrthio i gysgu'n syth.

Gwenodd Kim. Roedd hi'n hoffi Jess, ac roedd y tri bachgen i'w gweld yn neis hefyd. Roedd Academi'r Campau yn swnio fel tipyn o her ond yn llawer o hwyl hefyd. Brwsiodd hi ei dannedd a sylwi bod ei hoff bast dannedd wedi ei ddarparu ganddyn nhw, yn ogystal â phethau eraill o gwmpas yr ystafell ymolchi. Roedd Mererid a'i thîm yn amlwg wedi gwneud eu gwaith cartref ac wedi dysgu pethau amdani hi ac am y lleill.

Ond cyn iddi ddechrau meddwl am yr holl gwestiynau oedd yn dechrau ffurfio yn ei phen, penderfynodd mai gorffwys oedd y peth pwysicaf y munud hwn, felly caeodd ei llygaid a syrthio i gysgu yn syth.

Pennod 11

Cafodd pawb eu deffro bedair awr yn ddiweddarach gan gloch ac yna daeth llais Mererid dros uchelseinydd.

'Sori i'ch styrbio chi, ond mae'n bwysig eich bod chi i gyd yn codi nawr. Mae'n hanfodol eich bod chi i gyd yn ailafael yn eich patrwm cwsg cyn gynted â phosib, ac mae rhialtwch neithiwr wedi taflu pawb. Os codwch chi i gyd nawr ac wedyn mynd 'nôl i'r gwely ar ôl chwe awr, dylech chi fod 'nôl yn eich patrwm cwsg arferol erbyn fory.

'Felly codwch a gwisgwch y pecyn dillad sydd â label yn dweud "diwrnod un" sydd yn eich cwpwrdd personol. Pan fyddwch yn barod, agorwch eich drws ac fe gewch eich tywys i'r ffreutur i gael cinio.'

'Cinio! Newyddion da,' meddai Craig gan neidio o'r gwely yn llawn egni. Roedd Jo ac Ajit yn llai brwdfrydig am adael eu gwelyau cyffyrddus.

Gan ysgwyd y cwsg o'i ben, llusgodd Jo ei hun i'r ystafell ymolchi i olchi ei wyneb. Wrth iddo sefyll o flaen y drych, llithrodd drôr ar agor oddi tano oedd yn cynnwys sebon – mewn papur du – a siampŵ a chlwtyn ymolchi ac roedd ei enw ar bopeth. Cyffyrddodd â'r botwm 'poeth' a daeth dŵr cynnes hyfryd o'r tap. Roedd Craig yn y gawod yn barod yn canu nerth ei ben.

Ar ôl ymolchi gafaelodd y tri yn eu pecynnau dillad plastig a'u rhwygo ar agor.

'Ych,' ebychodd Craig, wrth iddo godi tracsiwt glas llachar ynghyd â phâr o esgidiau rhedeg yr un lliw.

Gwenodd Jo – roedd e llawer hapusach bod y dillad yr oedd e wedi eu derbyn yn hollol ddu, ond doedd Ajit ddim mor siŵr ynglŷn â'r tracsiwt melyn yr oedd disgwyl iddo ef ei wisgo.

'Ni'n edrych fel dylen ni fod ar un o raglenni Cyw,' cwynodd Craig wrth iddyn nhw agor y drws i'r coridor tu allan, lle roedd Kim a Jess yn disgwyl, y naill mewn gwisg goch a'r llall mewn gwisg werdd.

'Wel, gethoch chi'ch dwy liwiau mwy synhwyrol, ta beth,' gwenodd Jo wrth bwyntio at ei ffrindiau. 'Gobeithio y byddan nhw'n newid y lliwiau bob dydd. Mae edrych ar Craig yn rhoi pen tost i fi.'

'Dw i ddim yn gwybod, Jo,' gwenodd Jess. 'Dw i'n credu bod du yn gwneud i ti edrych fel dyn drwg mewn ffilm o'r gofod. Ti'n dechrau codi ofn arna i!'

Roedd Jo yn dal i chwerthin pan gyrhaeddodd Mererid.

'Wel, dw i'n falch eich bod chi'n cael amser da. Mae'n hollbwysig eich bod yn gwneud ffrindiau. Da iawn wir. Dylai Academi'r Campau fod yn lot o hwyl, ond mae hi bob amser yn well cael ambell gyfaill i bwyso arnyn nhw os aiff pethau'n anodd – a bydd cyfnodau anodd, credwch chi fi. Nawr dilynwch fi a gawn ni weld faint o chwant bwyd mae'r siwrne hon wedi ei greu.'

Craig oedd y cyntaf i gyrraedd y bwffe. Yno safai Angela, oedd yn gweithio yn y gegin, yn estyn plât glas iddo – yr un lliw â'i ddillad. Cymerodd gam yn ôl wrth edrych ar y bwyd.

'O, dw i'n credu y bydd angen rhywun i gyfieithu'r fwydlen 'ma i Gymraeg,' meddai. 'A ble ma'r sglodion?'

Gwenodd Mererid a chamu at y bwrdd bwyd.

'Craig, paid â dweud wrtha i nad wyt ti wedi gweld unrhyw un o'r bwydydd yma o'r blaen?' gwenodd, wrth iddi bwyntio at blatiaid mawr o gigoedd oer, salad a *wraps*. 'Dy'n ni ddim yn mynd i fod yn gwahardd eich hoff fwydydd yn llwyr, ond academi chwaraeon yw hon, ac ry'n ni eisiau i chi fod yn llawn o'r tanwydd iawn er mwyn gyrru'r peiriant pwysicaf oll, sef eich corff. Bydd cyfle am fyrgyrs a hyd yn oed selsig, ond dw i'n meddwl ar ôl eich dosbarthiadau maeth na fyddwch eisiau bwyta'r fath bethau byth eto.'

Gwgodd Craig. 'Chi yn jocan. Dw i wrth fy *modd* â brecwast mawr wedi ei ffrio bob penwythnos ...'

'Wel, gawn ni weld beth allwn ni wneud am hynny,' chwarddodd Mererid. 'Am nawr, joiwch y twrci a thrïwch rai o'r pethau bach yna sy'n llawn cnau. Maen nhw'n flasus iawn os wnewch chi ddipio nhw yn hwnna,' ychwanegodd gan bwyntio at ryw stwff brown golau mewn potyn bach.

Dewisodd Craig y bwyd yr oedd Mererid wedi ei awgrymu. 'Gwell fyth os wnei di ei roi e i gyd mewn *wrap* gyda letys, betys a thomato,' ychwanegodd.

'Letys a beth?' gofynnodd Craig. 'Dw i erioed 'di clywed am y pethe ma.'

Pentyrrodd y bwyd ar ei blât; yn lle bod til ar ddiwedd y rhes, roedd Angela'n aros i osod y plât drwy sganiwr oedd yn cofnodi beth roedd pob myfyriwr yn dewis ei fwyta.

Ciwiodd y pedwar arall wrth y bwffe a chael digon i'w fwyta hefyd, gan ymuno â Craig a Mererid wrth y bwrdd.

'Mae hwn yn grêt,' meddai Craig wrth iddo fwyta'i ginio.

'Ardderchog,' meddai Mererid. 'Mae'n dda gweld eich bod yn agored i newidiadau. Nawr, ymlaciwch am sbel, mwynhewch eich bwyd ac yna awn ni i'r ystafell ddosbarth ac fe gewch chi wybod y cwbl am y lle 'ma.'

Gadawodd Mererid i'r pedwar ohonyn nhw fwyta a siarad. Mwynhaodd Craig ei wrap gymaint, aeth i nôl un arall.

'Mae'r stwff brown yna'n flasus,' meddai wrth y pedwar arall.

'Hwmws yw hwnnw,' meddai Kim. 'Maen nhw'n ei wneud e o ffacbys, olew a hadau *sesame*.'

Syrthiodd wyneb Craig. 'Ych. Beth bynnag yw'r rheina, ma nhw'n swnio'n ofnadwy!'

'Ond o't ti'n joio'r hwmws funud yn ôl,' chwarddodd Ajit.

'Wel o'dd hwnna cyn gwybod beth o'dd ynddo fe,' meddai Craig yn ddiamynedd.

'Well, falle yn y dosbarth nesa gei di wybod beth sydd mewn selsig,' gwenodd Jess.

Pennod 12

Roedd hwyliau Mererid wedi newid erbyn iddyn nhw ddod at ei gilydd yn yr ystafell ddosbarth. Roedd Jo'n meddwl ei bod hi'n edrych braidd yn ofidus, a dweud y gwir.

'Reit, fel dywedon ni gynne, chi i gyd yma oherwydd bod ein tîm o hyfforddwyr a sgowtiaid wedi treulio misoedd yn chwilio am y pum unigolyn ifanc yr oedden ni'n credu y gallwn ni eu datblygu i ddod yn oreuon yn eu maes dros y pedair blynedd nesa. Doedd yr un ohonoch chi'n serennu; a dweud y gwir, roedd y rhan fwya ohonoch chi ymhlith y gwaetha yn eich clwb neu'ch tîm ysgol.

'Ond ry'n ni wedi gweld bod angerdd ynoch chi tuag at eich camp a pharodrwydd i weithio, a nifer o rinweddau eraill ry'n ni'n eu hystyried yn fwy pwysig na dawn. Rydych chi yma am ein bod wedi addo i'ch rhieni y byddwch, yn ogystal â chael eich datblygu i fod yn arwyr chwaraeon, yn derbyn yr addysg orau y gallech ei dychmygu. Bydd pob un ohonoch yn gymwys i gael eich derbyn i brifysgol erbyn eich bod yn bymtheg oed, beth bynnag yw eich galluoedd addysgol ar hyn o bryd.

'Ry'n ni wedi sicrhau eich rhieni y byddwch yn cael y gofal gorau posib, felly os oes gan unrhyw un ohonoch chi unrhyw bryderon neu broblemau, plis dewch i'w trafod nhw gyda fi unrhyw bryd. Mae ein blynyddoedd ar yr ynys hon wedi dangos i ni fod plant hapus yn blant gweithgar, a byddwn ni hefyd yn gweithio'n galed i wneud yn siŵr eich bod chi'n hapus.'

'Bydd Academi'r Campau yn rhoi popeth sydd ei angen arnoch chi ar gyfer y pedair blynedd nesa, ond mae'n rhaid i chi ymrwymo i weithio'n galed a dilyn y cyfarwyddiadau y byddwch yn eu cael yn fanwl iawn. Nid carchar yw hwn, a byddwn yn gwrando ar eich safbwynt chi bob tro, ond pan fyddwn ni'n gwneud penderfyniad mae'n rhaid i chi ufuddhau.

'Bydd wythnos o wyliau bob blwyddyn a byddwch yn cael gweld eich teulu mewn lleoliad dirgel. Ond bydd dim hawl gennych ddychwelyd i'ch cartre am bedair blynedd.'

Edrychodd Kim ar bawb mewn syndod. 'Na! Beth am fy ffrindiau ... fy nghi bach ...? Pedair blynedd ...'

Cafodd Kim ei hanwybyddu.

'Gewch chi hanner awr bob mis i gyfathrebu drwy linell ffôn fideo ddiogel, a byddwch yn cael gweld eich anifeiliaid anwes yn ogystal â'ch teuluoedd. Ac mae sôn am gyfathrebu'n dod â mi at y broblem ddifrifol gynta i ni ei chael.'

Syllodd Mererid ar y pum disgybl.

'Ry'n ni'n deall na chawsoch chi fod yn rhan o'r penderfyniad cychwynnol i ddod yma, ond nawr eich bod yn rhan o'r cynllun mae gennym rai rheolau nad oes modd eu torri ac ry'n ni'n disgwyl i chi eu dilyn. Dylai'r rheol gynta fod wedi ei hegluro i chi gan eich gyrrwr tacsi ac mae'n ymwneud â'r defnydd o ffonau, llechi, gliniaduron neu unrhyw gyfarpar sy'n gallu cyfathrebu â'r byd tu allan i Academi'r Campau.'

Amneidiodd Jo ac edrych yn sydyn ar ei ffrindiau. Roedden nhw'n anhapus i golli eu ffonau symudol a bydden nhw'n cymryd amser i ddod i arfer â'r peth. Roedd Jo wedi cael ei ffôn ar ei ben-blwydd yn un ar ddeg oed ac roedd yn ei chael hi'n anodd bod heb y goleuadau llachar a'r hwylustod.

Aeth Mererid yn ei blaen.

'Chi'n cofio'r dyn ddaeth â chi yma ar y cwch? Wel mae Gwyddno'n ddyn cyfoethog dros ben. Dychmygwch eich bod chi wedi ennill miliwn o bunnoedd ar y loteri bob dydd ers i chi gael eich geni – byddech chi dal ddim mor gyfoethog â

Gwyddno. Ond mae e'n ddyn da iawn, ac yn garedig iawn i bobl sy'n llai ffodus nag ef.

'Ond mae ganddo elynion, a dyw e bron byth yn mynd allan yn gyhoeddus, am resymau diogelwch. Mae e'n gwneud ymdrech fawr i sicrhau nad oes unrhyw un yn gallu ei ddilyn, a bod neb yn dod o hyd i Academi'r Campau a'i difrodi neu ddwyn ei chyfrinachau anhygoel.

'Ac mae hyn yn dod â fi at y ffaith bod un ohonoch chi wedi torri'r rheol honno. Pa un ohonoch chi sydd â ffôn symudol wedi ei guddio yn eich ystafell? Camwch ymlaen plis.'

Roedd Jo'n syfrdan. Edrychodd ar y rhes o'i ffrindiau a gweld Craig yn syllu ar y llawr cyn edrych i fyny a chymryd cam tuag at Mererid. Roed ei wyneb yn goch ac edrychai'n ofnus tu hwnt.

'Diolch, Craig, am fod mor onest â chyfadde'n syth. Pe baet ti ddim wedi cyfadde byddet ti'n teithio 'nôl ar ben dy hunan heno. Fodd bynnag, ry'n ni wedi penderfynu rhoi un cyfle arall i ti, a bydd hynny ddim yn digwydd i unrhyw un arall. Byddwn yn mynd â dy ffôn ac yn ei roi yn ôl i ti ar ddiwedd dy gyfnod di yma.

'Y rheswm yr oedden ni'n poeni yw achos ein bod yn meddwl bod rhywun wedi tracio ffôn

Craig. Dilynodd rhywun y tacsi'r holl ffordd at lan y cei yng Ngheinewydd, ac roedd ychydig o bethau amheus yn digwydd ym Mae Ceredigion bore 'ma. Ddaethon nhw ddim yn ddigon agos i ddod o hyd i ni ond mae hyn wedi ein gorfodi i newid ein cynlluniau a dilyn llwybr arall i'n cyrchfan cynta.

'Ond dyw hynny ddim yn unrhyw beth i chi boeni amdano gan na fyddwn ni'n cyrraedd yna am sawl wythnos. Dyw ynys danfor ddim yn teithio mor gyflym â llong fawr, chi'n gwybod,' ychwanegodd gyda gwên.

'Beth ydyn ni'n mynd i wneud tan i ni gyrraedd yna?' gofynnodd Kim.

'Gwneud?' atebodd Mererid. 'Wel, dyma lle bydd y gwaith yn digwydd i'ch paratoi chi. Mae gennym ni ystafelloedd dosbarth, labordai, campfeydd, neuadd chwaraeon dan do, efelychwyr chwaraeon ... a'r cwbl o dan y môr. Dewch, mae hi nawr yn amser ar gyfer y daith o gwmpas yr academi.'

Arweiniodd hi'r pum disgybl o'r ystafell ac i lawr y coridor lle'r oedd lluniau o ferched a dynion enwog yn y byd chwaraeon.

'Dyna'r boi enillodd y Meistri!' ebychodd Ajit.

'Ie,' gwenodd Mererid. 'Roedd e'n foi neis

ond doedd e methu cicio'r bêl ugain metr pan ddaeth yma gynta.'

'Ac enillodd hi'r 100 metr yn y gemau Olympaidd diwetha,' gwichiodd Jess, gan bwyntio at yr ail lun.

'Ar y dechrau, doedd hi ddim yn gallu rhedeg o gwbl heb faglu,' gwenodd Mererid. 'Mae hi'n hyfryd hefyd – gofynnais iddi ffonio dy rieni di i ddweud pa mor dda yw'r academi. Dw i'n meddwl mai hi berswadiodd nhw i adael i ti ddod!"

Roedd Jess methu credu. 'Waw – ffoniodd *hi* Mam a Dad?'

'Aeth yr *holl* bobl yma i Academi'r Campau?' gofynnodd Jo, gan syllu ar yr wynebau ar hyd y wal a sylweddoli bod llawer yn sêr y byd chwaraeon.

'Wrth gwrs, dyna pam bod eu lluniau nhw yma. Dyma ein horiel o enwogion. Mae pum lle gwag fan hyn, yn barod ar gyfer eich lluniau chi.'

Pennod 13

Arweiniodd Mererid y pump i'r ystafell gyntaf; roedd gwair ffug ar y llawr, ond fel arall doedd dim byd yn arbennig am yr ystafell. Y cwbl oedd i'w weld oedd un wal wen, wag a chwpwrdd yng nghefn yr ystafell.

'Does dim llawer yn digwydd fan hyn,' meddai Ajit o dan ei anadl. Chwarddodd y lleill yn dawel.

'Na?' gwenodd Mererid. 'Efallai dy fod ti'n iawn, ond beth am i ni weld beth sydd ar y fwydlen heno?'

Agorodd y rheolwr y cwpwrdd oedd yn llawn silffoedd â chyfarpar chwaraeon arnyn nhw. Roedd panel rheoli yna hefyd a gwasgodd hi fotwm a wnaeth iddo oleuo.

'Reit, ti yw'r chwaraewr rygbi?' gofynnodd i Kim.

'Ie,' atebodd Kim.

Taflodd hi bêl rygbi a thi ar gyfer cicio'r bêl at Kim a throdd swits arall ymlaen. Daeth set o byst ar y sgrin.

'Felly, heb orfod mynd allan i wynt ac oerfel y gaeaf, gallwch ymarfer eich sgiliau cicio yn fan hyn.'

Gosododd Kim y bêl yn ei lle ar y ti, a'i chicio'n daclus rhwng y pyst.

'Nawr cicia hi o'r llinell ystlys,' awgrymodd Mererid, gan addasu'r llun fel bod Kim bellach yn cicio o ongl dynnach.

Unwaith eto, ciciodd y myfyriwr y bêl dros y bar.

'Wel, da iawn,' gwenodd Mererid. 'Nawr, beth am gael blas ar y gaeaf yna o'n i'n sôn amdano?'

Trodd swits arall ymlaen, ac yn sydyn, disgynnodd y tymheredd a chwythodd corwynt ar draws yr ystafell.

Chwythodd Kim ar ei dwylo a phwyso mewn i'r gwynt, ond er iddi gicio'n galed daliwyd y bêl gan y gwynt ac aeth yn rhy llydan.

'Ymdrech dda, Kim. Nawr galli di weld rhai o'r triciau gallwn ni eu creu gyda thi er mwyn ymarfer ar gyfer pob sefyllfa. Ac nid ar gyfer rygbi'n unig.'

Chwaraeodd â rhagor o fotymau ac ymddangosodd gôl ynghyd â delwedd rithwir o gôl-geidwad.

'Mae'r cyfrifiadur yn rheoli ceidwad y gôl ac yn cystadlu yn dy erbyn di i drio arbed y bêl.'

Roedd Jo wedi ei syfrdanu.

'Nawr 'te, Craig, casgla di'r raced tennis o'r

silff yn fan'na a dere i ni weld sut siâp fydd arnat ti yn erbyn ein ffrind, Roger.'

Roedd Craig yn gegrwth wrth i'r sgrin ddangos arwr tennis byd-enwog yn sefyll o'i flaen, yn gwisgo gwyn o'i gorun i'w sawdl.

'Hoffet ti chwarae ar wair, clai neu gwrt caled?' gofynnodd Mererid.

Doedd Craig ddim yn gwybod beth i'w ddweud. 'Caled, falle ...'

Newidiodd y ddaear oddi tano ei liw a thaflodd Mererid beli tennis at Craig.

'Cymera dy amser,' meddai Roger o'r sgrin.

Roedd Craig yn nerfus ond fe drawodd y bêl gyntaf i'r rhwyd rithwir. Oedodd, bownsio'r bêl unwaith neu ddwywaith a serfio eto.

Aeth y bêl dros y rhwyd a dychwelodd ei wrthwynebydd hi at Craig â thrawiad gwrthlaw. Cafodd Craig gymaint o sioc nes iddo daro'r bêl yn syth i'r rhwyd.

'Anlwcus,' meddai Roger gyda gwên cyn diflannu.

'Mae gen ti ychydig o waith i'w wneud, ond mae gen ti'r bobl orau i ymarfer yn eu herbyn,' gwenodd Mererid. 'Paid poeni, nid y person go iawn oedd hwnna – mae e wedi ei raglennu i ddweud ambell air o anogaeth bob hyn a hyn.'

Bellach roedd y pump yn rhyfeddu at Mererid â'i chwpwrdd llawn triciau.

'Mae llawer o wybodaeth yma i chi a dw i'n mynd i'ch cyflwyno chi i bethau yn ara' bach, felly beth am i ni fynd yn syth i'r labordy lle mae gennym ffurflenni i'w llenwi. A dweud y gwir, mae'n siŵr y byddwch yn treulio'r ddeuddydd nesa yn y labordai wrth i ni gasglu gymaint o ddata â phosib amdanoch chi.

'Er enghraifft, mae ein cyfrifiaduron wedi dod i'r casgliad bod y rhan fwya o'r chwaraewyr tennis gorau – bechgyn a merched – yn 1.47 metr o daldra erbyn eu bod yn ddeg oed. Byddwn felly yn gweld pa mor debygol ydych chi o lwyddo fel chwaraewr tennis ac a fyddai hi'n well i chi newid eich camp i rywbeth fel golff, er enghraifft.'

Gwelwodd Craig.

'Na, Craig, dw i ddim yn sôn amdanat ti. Dim ond enghraifft oedd hwnna. Mae gennym broffiliau ar gyfer pwysau a thaldra delfrydol ar gyfer pob oed a phob chwaraeon. Ac ar gyfer pob safle ar bob tîm chwaraeon. Byddwn hefyd yn mesur pob un o'ch prif esgyrn, eich golwg a hyd yn oed maint bysedd eich traed. Ry'n ni'n defnyddio'r wybodaeth feddygol a gwyddonol ddiweddaraf er mwyn sicrhau eich bod yn cael y cyfle gorau posib i fod ar y brig yn eich camp.'

'Os fyddwn ni'n rhy fach neu'n rhy fawr, ydych chi'n newid ein maint ni?' gofynnodd Jess.

'Na. Dy'n ni ddim yn cymryd camau mor eithafol â defnyddio llawdriniaethau neu gemegau,' atebodd Mererid. 'Ond mae ffyrdd eraill i'ch helpu i dyfu'n dalach a fydd yn ddiogel ac yn onest.

'Gewch chi byth, BYTH gynnig unrhyw beth a fyddai'n creu llwybr cemegol hawdd i chi tuag at lwyddiant ym myd chwaraeon. Mae Gwyddno'n gwrthwynebu unrhyw beth all amharu ar chwaraeon, ac mae'n casáu'r ffordd mae rhai chwaraewyr wedi troi at gyffuriau er mwyn cael canlyniadau gwell.'

'Ie, ffyliaid yw'r rheini – dyna beth ma'n hyfforddwr ni wastad yn dweud,' meddai Jess.

Amneidiodd Mererid.

'Ry'n ni am i chi fod yn well pobl ar ôl i chi adael fan hyn – yn iachach, yn hapusach, yn glyfrach, ac os yw'n bosib, yn fwy llwyddiannus yn y gamp y byddwch wedi ei dewis. Ond y prif beth yw na fyddwch yn gorfod poeni am rywun yn gofyn i chi gymryd unrhyw beth sy'n anghyfreithlon.

‘Ond byddwn yn mesur – ac weithiau’n rheoli – eich bwyd a’ch diodydd a bydd angen i chi wisgo dyfais, fel oriawr, a fydd yn mesur eich symudiadau, eich ymarfer corff a’ch cwsg.

‘Ond yn fwy na dim, ry’n ni am i chi edrych ’nôl ar eich amser yn fan hyn gydag atgofion pleserus. Felly, unwaith y byddwn wedi gorffen yn y labordy, fe af i â chi i sinema breifat Academi’r Campau ...’

Pennod 14

Roedd Jo'n troi a throsi yn y gwely, yn grac â'i hunan. Doedd e ddim wedi cael trafferth cysgu erioed, ac ar ôl diwrnod mor brysur, roedd yn synnu nad oedd ei lygaid yn fodlon cau. Roedd yn gwybod nad ei lygaid oedd ar fai – ei ymennydd oedd yn gwibio ar ddau gan cilometr yr awr. Roedd e'n dal i fethu credu nad oedd hyn i gyd yn rhyw freuddwyd ryfedd.

'Ocê,' meddai'n dawel. 'Mae rhyw filiwnydd gwallgo yn penderfynu sefydlu ysgol chwaraeon, yn ei gosod dan ynys sydd yn llong danfor, yn rhoi'r dechnoleg ddiweddaraf ynddi sydd wedi costio ffortiwn, er mwyn cynhyrchu'r dynion a'r menywod gorau yn y byd chwaraeon. Y gorau oll yn y byd. Ac yna mae'n gwahodd pump o blant sy'n eitha gwael yn eu campau nhw i fod yn ddisgyblion yn yr ysgol yma. A dw i'n un ohonyn nhw.'

Roedd Jo bellach wrth ei fodd â'r syniad, yn falch o fod mewn ysgol lle roedd pêl-droed yn un o'r pynciau, a doedd e ddim yn poeni am yr holl dechnoleg a'r syniadau newydd oedd wedi eu taflu atyn nhw ers iddyn nhw ddechrau.

Doedd e ddim hyd yn oed yn poeni am golli ei ffrindiau a'i deulu – roedden nhw wedi newid aelwyd sawl gwaith pan oedd e'n iau a'i dad yn gweithio i'r llywodraeth, ac roedd e'n hapus y bydden nhw'n cwrdd am wyliau rywbryd. Ac er na fyddai'n gweld ei ffrindiau am bedair blynedd, roedd yn meddwl bod Jess, Ajit, Kim a Craig yn bobl iawn ac roedd yn eu hystyried yn ffrindiau da yn barod.

Ond roedd e'n dal i fethu cysgu. Nid sŵn y peiriannau anferth oedd yn gyrru'r ynys o gwmpas y môr oedd ar fai – roedd wedi dod i arfer â'u sŵn nhw'n syth – a doedd dim teimlad sigledig o fod mewn cwch o gwbl. Na, roedd y cwbl yn ei ben. Doedd ei ymennydd ddim yn mynd i adael iddo gysgu tan ei fod wedi gweld popeth oedd gan yr academi i'w gynnig.

Cododd ar ei eistedd. Roedd y bechgyn eraill yn cysgu'n sownd felly ceisiodd fod mor dawel â phosib a gwisgo ei esgidiau a sleifio allan i'r coridor.

Cymerodd gipolwg i fyny a lawr y coridor gan geisio dyfalu beth oedd o'i gwmpas. Edrychodd ar ei oriawr neu'r ddyfais ffitrwydd yr oedden nhw wedi ei gosod ar ei arddwrn, a oedd hefyd yn dangos faint o'r gloch oedd hi – a gwelodd ei bod hi bron yn un o'r gloch yn y bore.

Doedd e ddim yn siŵr beth roedd e eisiau ei wneud ond roedd e'n sicr eisiau gweld mwy o'r ynys heb i rywun mewn tracsiwt fod yn cadw llygad arno o hyd. Dewisodd droi i'r chwith a mynd yn ôl tuag at y ffordd yr oedden nhw wedi cyrraedd y tro cyntaf. Daeth at y drws mawr, dur oedd wedi cau y tu ôl iddyn nhw wrth i'r ynys suddo i'r tonnau. Edrychodd o'i gwmpas. Penderfynodd fynd ar hyd twnnel nad oedd wedi ei oleuo mor dda â'r llall, felly trodd y golau ymlaen ar y ddyfais ar ei arddwrn.

Roedd hi'n oerach o lawer yn fan hyn, ac fe ddaliodd yn dynn yn y canllaw a'i harweiniodd i fyny grisiau at y llawr nesa, rhyw ddwsin o risiau i ffwrdd. Roedd yno olau gwyrdd isel oedd yn help iddo weld ei ffordd yn glir heb faglu, ond roedd yn gorfod defnyddio'r golau ar ei arddwrn i gael gweld beth oedd o'i amgylch. Ceisiodd agor ambell ddrws oedd wedi ei gloi, ond wrth iddo agosáu at drydydd drws, agorodd ar ei ben ei hun.

Edrychodd Jo mewn i'r ystafell ond y cwbl allai ei weld oedd tair ffenest gron. Camodd at yr un yn y canol, sychu haenen o ddŵr oddi arni a phlygu i edrych drwyddi.

Neidiodd 'nôl mewn braw cyn camu ymlaen eto. Y cwbl y gallai ei weld trwy'r ffenest oedd y môr, ond nid y math o olygfa y byddai wedi disgwyl ei gweld o dan y môr oedd o'i flaen. Roedd yn uchel, uchel uwch ben y tonnau ac yn edrych i lawr wrth iddyn nhw daro yn erbyn y waliau oedd o gwmpas yr ynys. Sylweddolodd mai'r waliau hyn oedd y clogwyni serth y gwelodd ef ac Ajit pan gyrhaeddon nhw.

'Mae'n rhaid bod y ffenest hon wedi ei hadeiladu i mewn yn ochr y clogwyn,' meddyliodd. 'Ond pryd wnaethon ni ddod 'nôl lan i'r wyneb?'

Edrychodd ar y tonnau wrth iddyn nhw daranu yn erbyn wyneb y graig a rhyfeddu at ba mor gryf oedd yr ynys mewn storm o'r fath. Syllodd ar y gorwel tywyll a chredu iddo weld golau oedd yn edrych fel pe bai yn dod o ynys arall yn bell, bell i ffwrdd.

Daeth sŵn o rywle yn y pellter y tu mewn i Gantre'r Gwaelod a chofiodd mai yn y gwely yr oedd i fod. Cerddodd yn ôl i'w ystafell heb weld unrhyw un ar y ffordd, llithrodd dan y cynfasau a syrthio i drwmgwsg.

Pennod 15

Drannoeth, cafodd Jo a gweddill disgyblion Academi'r Campau ddiwrnod rhyfedd a dryslyd iawn. Treuliodd y criw y bore'n cael pob asgwrn, cymal a chyhyr yn eu cyrff wedi eu profi a'u mesur. Astudiwyd pob dant a chafodd bron pob modfedd o'u cyrff ei sganio. Tynnwyd llun pelydr x o'u pennau wrth i'r staff meddygol greu cofnod o gorff pob un myfyriwr.

Yna cawson nhw eu profi'n gwneud amrywiaeth o weithgareddau – yn neidio'n uchel, yn rhedeg ac yn sefyll yn yr unfan. Cawson nhw eu hamseru'n cerdded a rhedeg dros 10 metr, 20 metr a 30 metr a'u hamseru'n rhedeg tuag yn ôl hefyd. Gofynnwyd iddyn nhw gicio pêl o bob math a phob siâp yn y byd, a tharo rhai eraill gyda batiau, racedi neu glybiau. Cafodd pob eiliad o'r profion eu ffilmio o bob cyfeiriad.

Ar ddiwedd y dydd, pan oedden nhw wedi blino ac yn ddiamynedd, y peth olaf roedden nhw ei eisiau oedd darlith gan Mererid ond dyna beth gawson nhw. Roedd hi, yn ei thracsiwt coch, mewn hwyliau gwael hefyd.

'Iawn, wna i ddim malu awyr achos dw i'n siŵr eich bod chi wedi blino ar ôl diwrnod caled. Bydd yr hyn ddysgon ni heddiw wrth galon popeth wnewch chi yn yr academi dros y pedair blynedd nesa. Ry'n ni wedi dysgu beth yw eich cryfderau, eich gwendidau, a gweld y pethau y bydd yn rhaid i chi weithio galetaf arnyn nhw. Bydd rhaid gwneud penderfyniadau anodd ar sail y wybodaeth hon, ac efallai y byddwn yn penderfynu y dylech chi newid i gamp arall er mwyn i chi gael cyfle gwell o lwyddo.

'Ond yn gynta, byddwn ni'n gweithio ar wella'r ffordd rydych chi'n symud a pha mor hyblyg rydych chi. Mae Gwyddno yn credu taw'r gamp gynta y dylai pob pencampwr chwaraeon ei meistroli yw gymnasteg. Achos taw dyna'r gamp sy'n eich gorfodi chi i wybod sut mae'ch corff yn gweithio a sut i'w hyfforddi i wneud yr hyn rydych eisiau iddo ei wneud.

'Meddyliwch am unrhyw gêm ac yna meddyliwch sut y gall gymnasteg helpu – gall chwaraewr rygbi cyflym fownsio a dawnsio heibio'r amddiffynnwr, gall chwaraewr tennis sy'n gallu neidio'n uwch syrfio'n fwy pwerus, fel y gall bowliwr mewn criced. Mae nifer o ffyrdd y mae hyn yn gweithio.

'Felly fory byddwch yn dechrau cwrs dwys a fydd yn rhoi gwybodaeth sylfaenol i chi am gymnasteg. Mae'ch athro yn gyn-fyfyriwr yn yr academi hon – pan ddaeth hi yma roedd hi'n seren hoci addawol ond roedd hi mor hoff o gymnasteg nes iddi newid camp. Falle y byddwch chi'n ei hadnabod hi – enillodd hi fedal aur ac efydd yn y Gemau Olympaidd diwetha.'

Edrychodd Craig yn sarhaus. 'Hmmm. Dw i'n credu wnes i golli hwnna,' chwarddodd.

'Hei,' meddai Jess. 'Mae gymnasteg yn cŵl. Nethon ni lot fawr ohono fe yn yr ysgol. Mae'n grêt er mwyn eich rhoi chi mewn hwyliau da, a dw i'n siŵr y byddet ti'n edrych yn dda mewn teits glas, Craig bach ...'

Chwarddodd gweddill y dosbarth ac ni allai hyd yn oed Craig beidio â gwenu.

'A dw i'n credu 'mod i'n gwybod am bwy mae Mererid yn siarad,' meddai Ajit. 'Ro'dd hi ar y newyddion y noson enillodd hi. Hwn oedd y tro cynta i unrhyw un o Gymru ennill medal mewn gymnasteg.'

Amneidiodd Jo hefyd, gan gofio'r cyffro yn seremoni'r medalau Olympaidd a'r ddau ddiwrnod pan oedd pawb ar y stryd yn trio gwneud gymnasteg. Benthycodd bechgyn deits bale eu chwiorydd a swingio o ganghennau coed, roedd rhai'n cerdded ar eu dwylo. Ond yna pan enillodd rywun arall fedal mewn rasio ceffylau roedd yr un criw'n rhedeg o gwmpas yn curo eu penolau ac yn neidio dros ffensys eu cymdogion, ac roedd holl ddathlu'r gymnasteg wedi ei anghofio.

'Mae un peth arall dw i am ei drafod gyda chi,' cyhoeddodd Mererid. 'Dw i'n sylweddoli y gallech chi ddiflasu yma ac efallai y bydd angen i chi gael ychydig o antur.'

Cochodd Jo yn syth ac edrych ar y llawr. Roedd yn gallu teimlo llygaid Mererid yn tyrchu i'w ben.

'Neithiwr aeth un ohonoch chi i grwydro o gwmpas yr academi. Mae hawl gennych chi fynd i'r rhan fwya o'r lle 'ma – ni thorrodd neb unrhyw reol neithiwr – ond mae'n rhaid i mi'ch rhybuddio chi i fod yn ofalus wrth grwydro o gwmpas yn y tywyllwch.'

Gan fod pen Jo wedi ei blygu, edrychodd y pedwar arall ar ei gilydd i weld pwy oedd yn euog. Doedd hi ddim yn hir cyn iddyn nhw sylweddoli mai Jo oedd wedi bod yn crwydro yng nghanol y nos.

'Ti oedd e, Jo?' gofynnodd Kim.

Amneidiodd Jo. 'Ro'n i methu cysgu ac fe es i am dro. Wnes i ddim cyffwrdd ag unrhyw beth, wir.'

Gwenodd Mererid. 'Dw i'n gwybod – ni'n monitro eich cwsg a'ch symudiadau ddau ddeg pedwar awr y dydd, ac ry'n ni'n gwybod yn union beth roeddet ti'n ei wneud. Ddilynon ni ti'r holl ffordd lan i'r ystafell wylio a'r holl ffordd yn ôl i'r gwely. Ond dw i ddim yn dy feio di. Mae'n siŵr bod ganddoch chi i gyd gwestiynau, ac fe drefna i i chi wneud taith arall o'r ynys a dangos sut mae pethau'n gweithio, ac fe eglura i rywbeth wnaeth Jo ei ddarganfod neithiwr.'

Trodd y pedwar ar Jo eto a oedd yn edrych yr un mor ddryslyd â nhw.

Pennod 16

'Fe ddaeth Jo i ddeall neithiwr bod yr ynys yn symud i'r de, yn gyflym iawn,' meddai Mererid gan edrych ar wynebau dryslyd y plant.

Trawodd y bwrdd gwyn y tu ôl iddi ac ymddangosodd map o Fôr yr Iwerydd, wedi ei oleuo.

'Chi'n cofio ein bod wedi mynd dan y dŵr yn fuan ar ôl i chi lanio ar yr ynys. Ac fe ddywedes i ein bod wedi sylwi ar bethau rhyfedd yna a'n bod ni felly wedi newid cyfeiriad. Wel, ry'n ni wedi penderfynu gosod pellter rhyngon ni a beth bynnag oedd yna, ac felly ry'n ni wedi bod yn teithio dan Fôr yr Iwerydd am y ddau ddiwrnod diwetha,' meddai hi gan ddilyn y map gyda'i bys a dangos y llwybr yr oedden nhw wedi teithio.

'Er mwyn arbed tanwydd, penderfynodd y capten ddod i'r wyneb neithiwr, a dyna pam roeddet ti'n gallu gweld y tonnau a'r awyr drwy'r ffenestri, Jo,' eglurodd hi. 'Roedd hi'n noson glir a doedd dim modd glanio o fewn wyth deg cilomedr o ble ry'n ni, a doedd dim tir o fewn pum can cilomedr, felly roedd hi'n gyfle da i roi seibiant i'r llong.

'Ar hyn o bryd, ry'n ni'n mynd tuag at yr haul lle gallwn ni ddod i'r wyneb ac ry'n ni wedi ein cuddio gan gyfres o ynysoedd bach heb bobl arnyn nhw. Byddwn ni'n aros yna am rai wythnosau er mwyn gwneud peth gwaith cynnal a chadw ar yr ynys ac i'r criw gael seibiant – ond bydd y pump ohonoch chi'n dal i weithio a gwneud y rhan fwyf o'ch gweithgareddau i mewn yn fan hyn. Fe fyddwn ni, er hynny, yn eich gadael chi allan am ychydig o haul,' gwenodd.

Dechreuodd y pump siarad ar yr un pryd, yn llawn cyffro o gael gwyliau yn yr haul, hyd yn oed os mai am gyfnod byr fyddai hynny.

'Gewch chi fwy o wybodaeth wrth i ni gyrraedd ein cyrchfan mewn dau neu dri diwrnod, ond yn y cyfamser dw i am i chi gael digon o gwsg' – edrychodd ar Jo – 'a rhoi pob ymdrech i'r gymnasteg yma fory. Fe wna i drefnu taith lawn o rannau symudol yr ynys hefyd.'

Gadawodd Mererid a throdd yr holl fyfyrwyr at Jo i gael gwybod rhagor am ei antur ganol nos.

'Ble est ti, Jo?'

'Beth welest ti?'

'Ydy e'n beryglus?'

Eglurodd Jo ei daith fer i'w gyd-fyfyrwyr, gan

ddweud wrthyn nhw am yr ystafell oedd yn y clogwyn lle welodd e'r storm ar y môr.

'Roedd e'n frawychus,' cyfaddefodd. 'O'n i'n bellach fyny pan es i yna gyda Ajit ar y diwrnod cyntaf, ond roedd pethau'n dawelwch bryd hynny. Roedd hon yn storm wyllt ac roedd y tonnau'n torri ar yr ynys. Dw i ddim yn gwybod sut mae'r ynys mor gadarn drwy'r amser – ro'dd fy mhen i'n troi wrth edrych ar y tonnau.'

'Gobeithio gwnawn nhw fynd â ni lân i weld y clogwyni hefyd,' meddai Jess. 'Licen i ddefnyddio fy minocwlars newydd i.'

Yn sydyn cofiodd Jo rywbeth. 'Ie, mae'n anodd gweld ble mae'r gorwel, yn enwedig yn y nos, ond fe weles i ambell olau o long neu ynys.'

'Wir?' gofynnodd Kim. 'Dywedodd Mererid ein bod ni gannoedd o filltiroedd o unrhyw le ...'

Cododd Jo ei aeliau. 'Dw i ddim yn gwybod, ond wnes i'n bendant weld goleuadau'n fflachio.'

'Falle taw awyren oedd e – neu'r dynion yna o'r tacsi yn ein dilyn ni,' meddai Craig.

'Falle dylet ti adael i Mererid wybod,' awgrymodd Ajit.

'Ie ... falle dylen i,' atebodd Jo. 'Falle taw goleuadau'r gogledd oedden nhw ...'

‘Fan hyn?’ chwarddodd Jess.

Chwarddodd Jo hefyd cyn mynd i chwilio am Mererid.

Pennod 17

Roedd Mererid yn bryderus iawn ar ôl i Jo ddweud wrthi beth roedd e wedi ei weld.

'Dylet ti fod wedi dweud wrtha i cyn hyn,' dywedodd yn flin.

'Sori,' atebodd Jo, 'nes i ddim meddwl bod unrhyw beth yn od tan i Kim fy atgoffa i ein bod ni filltiroedd o bobman.'

'Dere gyda fi a gawn ni weld beth mae ein swyddog diogelwch yn ei feddwl.'

Dilynodd Jo Mererid i lawr set arall o risiau troellog at goridor oedd wedi ei oleuo'n llachar gyda swyddfeydd ar bob ochr y tu ôl i waliau gwydr. Ar y pen pellaf, roedd drws coch a churodd Mererid arno ddwywaith.

'Dewch i mewn,' meddai llais rhywun, ac agorodd Mererid y drws a dilynodd Jo hi i mewn i'r ystafell.

'A, dyma Jo,' meddai'r swyddog diogelwch, dyn tâl â mwstás trwchus. 'Fy enw i yw Ross. Ro'n i'n edrych ar y ffilm ohonot ti'n crwydro yn y nos – ti'n amlwg yn gymeriad bach chwilfrydig.'

Gwenodd Jo yn ansicr.

‘Ry’n ni yma achos mae Jo’n credu ei fod wedi gweld rhywbeth neithiwr,’ meddai Mererid.

Gwgodd Ross. ‘Roedden ni wedi dod i’r wyneb erbyn hynny, o’nd oedden ni,’ meddai’n feddylgar. ‘Doedd dim byd i’w weld.’

‘Wel, wnes i’n bendant weld rhywbeth,’ mynnodd Jo. ‘O’n i yn yr ystafell ar ben y clogwyni ac fe weles i oleuadau’n fflachio. Roedd hi’n anodd dweud, ond ro’n nhw’n ymddangos fel tasen nhw sawl cilometr i ffwrdd.’

Tynnodd Ross gylch ar ei lyfr nodiadau a gofyn i Jo ddangos yn union lle’r oedd y goleuadau yn yr awyr wrth iddo edrych allan drwy’r ffenest gron. Meddyliodd Jo am rai munudau cyn eu disgrifio i Ross, ac yntau’n tynnu llun ohonyn nhw ar y papur – un golau mawr oedd yn fflachio ac yn diffodd ar y gorwel, gyda dau olau llai oedd yn aros ynghyn am yr amser y bu’n syllu arnyn nhw.

‘Iawn, diolch Jo. Nawr cer ’nôl i dy ystafell. Dw i eisiau sgwrs â Mererid.’

Gadawodd Jo’r ystafell ac ymlwybro ar hyd y coridor gwydr. Edrychodd i mewn i’r swyddfa oedd yn llawn desgiau – tua ugain i gyd – ond dim ond dau oedd yn eistedd yno. Roedd map enfawr o'r byd ar un wal, gyda golau'n wincio yng nghanol y môr oedd fel rhyw fath o farciwr yn dangos lle ro'n nhw.

Llwyddodd i ddod o hyd i'r lleill, ac roedd Ajit a Craig yn cael dadl ynglŷn â phwy oedd yn mynd i gael defnyddio'r gawod gyntaf.

'Rhoddes i fy nhywel melyn ar y bachyn a dweud taw fi oedd gynta,' meddai Ajit.

Chwarddodd Craig. 'Weles i ddim tywel.'

'Der mla'n, ti 'di sleifio mewn gynta bob dydd hyd yn hyn,' cwynodd Ajit.

'Bob dydd? Dim ond ers dau ddiwrnod ry'n ni 'di bod yma!' chwarddodd Craig. 'Os ti eisiau mynd gynta, mae'n rhaid i ti gyrraedd gynta.'

Camodd Jo rhyngddyn nhw. 'Arhoswch funud,' ymbiliodd. 'Beth am i ni sortio hyn? Mae un gawod gyda ni a thair seren chwyslyd y dyfodol. Beth am i ni gymryd ein tro i fynd gyntaf? Ddoe oedd tro Craig a heddiw yw tro Ajit, a does dim ots da fi aros tan fory i fynd gynta. Cer di Ajit, a gall Craig fynd yn ail, ond fory fe sydd olaf.'

Syllodd y ddau fachgen arall ar Jo, gan geisio gwneud synnwyr o'r hyn roedd e'n ceisio'i awgrymu.

'O ... ocê,' meddai Ajit, gan fynd heibio Craig ac i mewn i'r gawod.

Ochneidiodd Craig a mynd yn ôl i'w wely a chodi cylchgrawn.

'Mae pedair blynedd yn amser hir ofnadwy, Craig,' meddai Jo. 'Does dim pwynt ffraeo dros bethau bach mor gynnar â hyn. Ni'n mynd i orfod dod i hoffi'n gilydd ac ymddiried yn ein gilydd.'

Pennod 18

Treuliodd Mererid a Ross yr awr nesa yn edrych yn ôl dros recordiadau fideo o daith yr ynys dros y diwrnod blaenorol. Roedd synwyryddion, camerâu, radar a ffyrdd eraill o gofnodi'r siwrne ac unrhyw beth y byddai'r ynys yn dod ar ei draws. Doedd dim camerâu'n recordio o'r union safle lle roedd Jo wedi bod yn sefyll, ond yn uwch ar y clogwyn roedd camera bach yn sganio'r gorwel.

'Gallwn ni gael gafael ar yr union ddau funud roedd Jo yn yr ystafell ac mae'n ymddangos ei fod e'n edrych tuag at y gogledd-ddwyrain pan welodd y goleuadau hyn ...' meddai Ross.

Chwaraeodd â'r cyfrifiadur a chwyddo'r sgrin i ddangos yr ardal gul y byddai Jo wedi ei gweld ar yr adeg benodol yna.

'Mae'r radar a'r sonar yn glir, felly doedd dim awyrennau na llongau tanfor yn yr ardal,' meddai Ross o dan ei anadl.

'Beth yw hwnna?' gofynnodd Mererid, gan bwyntio at gornel y sgrin.

'Mae'n edrych fel seren wib, ond mae'n symud yn rhy araf,' atebodd.

Chwyddodd y sgrin yn fwy eto, gan ddangos tri golau coch yn wincio yn yr awyr. Fel dywedodd Jo, roedd un i'w weld ychydig yn fwy na'r llall.

'Alli di rewi'r llun?' gofynnodd Mererid.

'Wna i drio,' atebodd Ross. 'Dria i chwyddo'r llun hyd yn oed yn fwy.'

Gwasgodd ambell fotwm ar y bysellfwrdd a llenwodd y sgrin â'r hyn oedd yn edrych fel pryfyn anferth ag adenydd.

'Ych,' meddai Mererid, 'ma hwnna'n edrych fel creadur cas.'

'Dim creadur yw hwnna,' meddai Ross. 'Drôn yw e. Ac mae'n edrych fel pe bai'n ein dilyn ni.'

Treuliodd y ffrindiau'r oriau nesa yn cael gwersi am y tro cyntaf mewn pynciau academaidd. Roedd eu hathro mathemateg yn ddyn byr, moel oedd yn frwdfrydig iawn am y pwnc, ac roedd ei lygaid yn llawn cyffro wrth ddweud wrthyn nhw am ei hoff rifau. Doedd hwn ddim fel unrhyw wers mathemateg arall yr oedd yr un ohonyn nhw erioed wedi ei chael, ac roedd y pump yn gegrwth wrth iddo egluro am rifau a'u defnyddiau a'u nodweddion gwahanol. Eglurodd sut roedd gwareiddiadau hynafol wedi gwirioni â rhifau penodol a'u defnyddio wrth adeiladu ac mewn celf. Dangosodd sut y mae rhai rhifau'n ymddangos ym myd natur a sut roedd rhai mathemategwyr yn meddwl bod gan bob rhif ei bersonoliaeth ei hun.

'Edrychwch arnoch chi, er enghraifft, mae pump ohonoch. Mae pump yn rhif pwysig – mae gan bawb bum synnwyr, mae pum cyfandir, pum cylch ar y faner Olympaidd, pum bys ar bob llaw. Mewn rhai diwylliannau, mae'r rhif pump yn cael ei barchu'n fawr achos ei fod yn cynrychioli'r ddwy fraich a'r ddwy goes a'r pen sy'n eu rheoli.

'Fydd ein dosbarthiadau ddim yn astudio "pump wedi ei luosi gyda phedwar sy'n gwneud ugain". Byddwn ni'n edrych ar rifau ac yn ceisio dod o hyd i'r pethau llawn hwyl a'r pethau diddorol y gallwn ni eu gwneud â nhw, a'r hud y maen nhw'n ei gyflwyno i'r byd.'

Roedd y pum myfyriwr yn dal i fod yn siarad am fathemateg pan gyrhaeddon nhw 'nôl i'w hystafelloedd. Yn ystafell y bechgyn roedden nhw'n dadlau llai ar ôl datrys y ddadl dros y gawod. Roedd Craig ac Ajit yn gwylio fideos YouTube o glipiau o gemau pêl-droed gyda'i gilydd ac roedd Jo'n gorwedd ar ei wely'n darllen nofel am chwaraewr rygbi mewn ysgol.

Curodd Kim ar y drws a cherdded i'r ystafell. 'Helô, bois. O'dd Jess a fi'n meddwl gofyn i Mererid os gallen ni weld yr ystafell glogwyn yr oedd Jo wedi mynd iddi. Dw i'n gweld eisiau'r haul. Mae hi fel bod mewn carchar.'

Chwarddodd Jo. 'Wel, fe gynigiodd hi roi taith i ni o gwmpas y lleoedd dy'n ni ddim i fod i fynd iddyn nhw felly mae'n werth gofyn. Ydych chi'ch dau eisiau dod?'

Ysgydwodd Ajit ei ben – roedd e'n mwynhau'r clipiau fideo. Doedd Craig ddim am ddod chwaith, doedd e ddim eisiau colli tîm yn cicio i'w gôl eu hunain eto.

Ymunodd Jo â'r merched yn y coridor. 'Sgwn i ble mae Mererid nawr?' gofynnodd i'w hunan. 'O'n i gyda hi yn y swyddfa ddiogelwch ddim yn hir yn ôl.'

'Dywedodd hi wrthon ni i wthio'r botwm yma os oedden ni eisiau cael gafael arni,' awgrymodd Jess, gan bwyntio at ei horiawr.

'O'n i'n meddwl taw dim ond mewn argyfwng oedd hynny,' gwgodd Kim.

'Wel ...' gwenodd Jo. 'Allen i ddweud fy mod i eisiau gweld yr ystafell gyda ffenestri eto er mwyn fy helpu i i gofio beth weles i.'

Gwthiodd Jess y botwm ac ymddangosodd wyneb Mererid yn syth ar y sgrin.

'Sut alla i dy helpu, Jess?' gofynnodd.

'Hoffwn i a Kim weld yr ystafell gyda ffenestri – dy'n ni ddim wedi gweld golau dydd ers dyddiau,' eglurodd.

'Popeth yn iawn,' atebodd Mererid. 'Arhoswch fan'na a bydda i gyda chi mewn dau funud.'

'Iawn,' meddai Kim. 'Paid dweud wrth y bechgyn eraill neu fyddan nhw'n gofyn iddi fynd i nôl pizza iddyn nhw.'

Cyrhaeddodd Mererid a mynd â nhw at lifft a'u cludodd yn uchel i mewn i'r clogwyni oedd ar ochr ogleddol yr ynys. Camodd hi allan a'u tywys at yr ystafell yr oedd Jo wedi ymweld â hi'r noson gynt.

'Mae hi'n dal yn olau dydd nawr,' eglurodd Jo. 'Y cwbl o'n i'n gallu ei weld neithiwr oedd tywyllwch a'r tonnau i lawr yn fan'na. Ac wrth gwrs, y goleuadau o beth bynnag oedd allan yna.'

Rhoddodd Mererid ryw hanner gwên. Edrychodd y lleill drwy'r ffenestri ar y môr enfawr o'u blaenau.

'Mae e mor fawr, on'd yw e,' meddai Jess.

'Allwch chi ddim gweld unrhyw beth arall ond y môr a'r awyr.'

Ceisiodd Jo edrych ar y darn o'r awyr ble roedd wedi gweld y goleuadau, ond doedd dim i'w weld.

'Pa mor hir mae'r ynys yma wedi bodoli?' gofynnodd Kim i Mererid.

'Wel, dw i wedi bod yn rheoli Cantre'r Gwaelod ers canrifoedd,' meddai. 'Ond o ran yr academi, mae'r criw cynta bron ag ymddeol nawr o'u campau, ond dw i'n siŵr y bydd y chwaraewyr gwyddbwyll yn dal i fynd am flynyddoedd eto.'

'Gwyddbwyll?' gofynnodd Jess. 'Nid camp yw hwnna ...'

'Fyddet ti'n synnu,' atebodd Mererid. 'Mae angen i chi fod yn gorfforol gryf i gynnal y lefel yna o ganolbwyntio am gyfnod mor hir. A gall yr hyfforddiant mae eich ymennydd yn ei gael wrth chwarae gwyddbwyll fod o les mawr i'r chwaraeon hynny ble mae tactegau'n bwysig. Mae gwyddbwyll ar gwricwlwm Academi'r Campau – fan hyn dysgodd un o'n cyn-fyfyrwyr sut i chwarae, ac mae e bellach yn bencampwr. Mae hwnna'n dipyn o lwyddiant.'

Astudiodd Jo'r gorwel gan edrych 'nôl a

mlaen i weld a oedd unrhyw beth anarferol yno. Roedd hi'n amhosibl gweld unrhyw beth yn y tonnau, ond cafodd yr un teimlad ansicr ag y cafodd y noson o'r blaen, ac roedd e'n siŵr y byddai'r goleuadau hynny yn ymddangos eto unwaith y byddai hi wedi nosi.

'Mae'n dechrau tywyllu,' meddai Kim. 'Os oes unrhyw oleuadau allan yn fan'na byddwn ni'n gallu eu gweld nhw'n well yn y tywyllwch.'

Roedd golwg bryderus ar Mererid ac fe benderfynodd ddod â'u hymweliad nhw i ben.

'Reit, ni wedi gweld digon nawr, mae'n amser i chi fynd yn ôl i gael eich swper.'

'Ond dyw hwnna ddim am hanner awr arall!' meddai Jess.

'Ie ond bydd angen i chi ymolchi, a ... falle newid. Ie, dyna hi ... newid. Chi'n cwrdd â'r capten heno, felly bydd angen i chi wisgo rhywbeth sy'n fwy addas na'ch tracsiwtiau.'

Pennod 19

Roedd Jo'n rhwystredig bod Mererid wedi torri eu hymweliad yn fyr, ond penderfynodd beidio sôn am y peth eto. Pan gyrhaeddon nhw 'nôl i'w hystafelloedd, daethon nhw o hyd i amlen ar bob gobennydd ac ynddi roedd gwahoddiad i gael swper gyda'r capten y noson honno.

'Dyw hi ddim yn gwastraffu amser,' meddyliodd Jo.

Roedd Craig ac Ajit wedi blino gwylio'r goliau ar y we ac roedd y ddau'n gorwedd ar eu gwelyau yn darllen cylchgronau.

'Wyt ti wir yn meddwl y gallet ti fod y chwaraewr tennis gorau yn y byd ar ôl i ni adael fan hyn?' gofynnodd Ajit.

'Na, ond mae cyfle da gyda ni i wella'n hunain yma. Dw i'n gwybod pa mor dda a pha mor wael ydw i ond galla i ddim dychmygu bod y gorau yn fy nghlwb i gartre ar hyn o bryd, hyd yn oed. Ond mae'r rhain wedi bod yn gwneud y gwaith hwn ers blynyddoedd, ac maen nhw wedi cael chwaraewyr anhygoel yma felly mae'n rhaid bod ganddyn nhw hyfforddwyr da.'

'Ti'n iawn,' cytunodd Ajit, 'ond mae'n anodd

dychmygu'r peth. Yr unig reswm dw i wedi cael dod i fan hyn yw achos 'mod i wedi cael un eiliad dda mewn un gêm – lwc pur. Bydden i wrth fy modd bod yn hanner da mewn un gamp, heb sôn am fod y gorau mewn dwy ...'

Torrodd Jo ar ei draws. 'Dw i'n meddwl bod rhaid i ni ymddiried ynddyn nhw eu bod nhw'n gwybod beth maen nhw'n ei wneud. Maen nhw wedi gwario miliynau, falle biliynau ar y lle 'ma ac mae'r oriel enwogion yna yn dangos pa mor llwyddiannus maen nhw.'

Roedd y cinio'n eithaf diflas – treuliodd y capten y rhan fwyaf o'r amser yn egluro sut roedd yr ynys yn gweithio, ac roedd hyn yn rhy gymhleth i'r rhan fwyaf ohonyn nhw. Deallodd Jo fod yr holl ynys wedi ei gorchuddio â phaneli haul enfawr a bod y pŵer yn cael ei gasglu mewn batris anferth. Roedd angen iddyn nhw ddod i'r wyneb bob diwrnod neu ddau er mwyn amsugno rhagor o belydrau'r haul, ond fe addawodd y capten na fyddai prinder y rheini yn y dyddiau nesa.

Ar ôl iddo fynd i'r gwely, roedd Jo'n troi a throsi yn meddwl am y goleuadau rhyfedd y gwelodd y noson flaenorol, ond doedd e ddim eisiau mynd i fwy o drwbl gyda Mererid. Roedd wedi bod yn llawn cyffro ac wedi rhyfeddu gymaint at yr ynys nes ei fod wedi dechrau anghofio am ei fywyd blaenorol a'r teulu yr oedd wedi ei adael ar ôl. Ond wrth i newydd-deb y peth bylu, ac wrth i'w ffrindiau ddechrau dadlau ac wrth i Mererid ddechrau gosod rheolau, roedd Jo wedi dechrau teimlo hiraeth.

Roedd wedi diflasu ar yr holl brofi a mesur, ac er ei fod yn barod i roi cynnig ar gymnasteg, yr hyn yr oedd am ei wneud yn fwy na dim oedd cicio pêl eto. A'i chicio'n galed.

Pennod 20

Cafodd Jo ei ddymuniad lawer cynt nag yr oedd wedi ei obeithio. Roedd y sesiwn gymnasteg yn wych, unwaith iddo ddod i arfer â sefyll ar far pren cul ar ynys oedd yn symud. Ond roedd y llawr yn feddal felly ni chafodd neb niwed.

Dywedodd yr hyfforddwraig, Anna, wrthyn nhw fod rhai o'r pencampwyr chwaraeon mwyaf cryf yr oedd hi wedi cwrdd â nhw erioed yn arbenigwyr gymnasteg, a'u bod yn hyfforddi eu cyrff i fod yn galed ac yn hyblyg – yn gallu dioddef pwysau enfawr ond hefyd yn gallu symud yn gyflym ac yn urddasol.

'Dyma'r gamp orau i fechgyn a merched sydd eisiau bod yn dda mewn chwaraeon eraill,' eglurodd. 'Dylech chi, bob diwrnod yr ydych ar yr ynys, ac am amser hir ar ôl i chi adael, wneud rhai o'r ymarferion dw i ar fin eu dangos i chi. Mae'n bwysig.'

Roedd Anna bob amser yn eu hannog yn gadarnhaol, ac aeth y bore heibio wrth iddyn nhw ymestyn, rholio, cydbwyso a neidio. Dangosodd hi iddyn nhw'r ffordd orau i syrthio a sut i rolio tin dros ben a neidio'n syth yn ôl ar eu traed. Gyda phob ymarfer, roedd awgrym ynglŷn â sut y gallai gael ei ddefnyddio gyda champau eraill.

'Roedd hwnna'n wych,' meddai Craig wrth iddo sychu'r chwys o'i dalcen. 'O'n i ddim yn gwybod y gallai gymnasteg fod mor anodd.'

Ar ôl cinio, cyflwynodd Mererid nhw i hyfforddwr newydd arall, ond doedd hwn ddim yn edrych fel pe bai'n gwneud ymarfer corff. Roedd yn llawer hŷn na'r oedolion eraill ar yr ynys. Roedd ei wallt hir, llwyd wedi ei glymu mewn cynffon ceffyl a gwisgai sbectol fach a chrwn. Doedd e ddim yn gwisgo un o'r tracsiwtiau llachar chwaith, dim ond siwt frethyn, frown oedd yn edrych yn erchyll gyda'r esgidiau rhedeg o aur drud oedd ar ei draed.

'Fy enw i yw'r Athro Kossuth,' meddai, 'a dw i'n mynd i'ch hyfforddi chi mewn pêl-droed. Fy arbenigedd yw'r dull mecanyddol o gicio pêl. Mae grymoedd corfforol rhyfeddol ar waith a bydd fy syniadau i'n eich helpu i gicio'r bêl yn galetach ac yn gyflymach, ac felly bydd gennych chi'r microeiliadau ychwanegol hynny i guro hyd yn oed y gôl-geidwad gorau.'

Dechreuodd egluro'r grymoedd oedd yn ymwneud â chicio pêl, ond roedd ymennydd

Jo'n drysu wrth i'r athro ddechrau ysgrifennu symiau ar y bwrdd gwyn. Gwrandawodd Jo ar y geiriau gan anwybyddu'r rhifau, a dysgodd fod arwyneb pêl gron yn mynd yn wastad am ganfed rhan o eiliad pan fydd troed yn ei tharo.

Gofynnodd yr athro gwestiwn i'r myfyrwyr: 'Pwy sy'n cicio'r bêl gyflymaf, person sy'n fawr ac yn dal neu berson byr a bach?'

Saethodd llaw Jess i fyny. 'Y person tal. Mae eu coesau nhw'n hirach felly maen nhw'n gallu taro'r bêl yn galetach.'

Gwenodd yr athro a sychu'r bwrdd gwyn. Ysgrifennodd am funud cyn troi at y dosbarth.

'Mae'r fformiwla hwn yn dangos cyflymder cic sydd 20 metr yr eiliad gan oedolyn sy'n pwyso 100kg, ac mae hwn yn dangos yr un fath ar gyfer person 60kg. Mae cic y person mwy o faint yn golygu bod y bêl yn teithio ar gyflymder o 32.7 metr yr eiliad, tra bod cic y chwaraewr byrrach yn 31.9.

'Ond yn y byd go iawn, byddai'r ddau chwaraewr yna ddim yn cicio ar yr un cyflymder achos byddai eu coesau'n pwyso'n wahanol. Felly byddai gan y chwaraewr llai, wrth roi'r un ymdrech, gyflymder coes uwch.

'Fodd bynnag, pe byddai cyflymder coes y

chwaraewr byr yn cyrraedd hyd at 28 metr yr eiliad, byddai'r bêl yn saethu i ffwrdd ar 45 metr yr eiliad – cynnydd mawr dros y chwaraewr tal.

'A dyna pam, yn hytrach na cheisio'ch gwneud chi'n fwy, y byddwn ni'n gweithio ar gynyddu cyflymder eich coesau ...'

Roedd y myfyrwyr – y rhai oedd wedi deall – wedi eu synnu gan gasgliadau'r athro ac aeth hwnnw yn ei flaen â'i ddamcaniaethau.

'Un peth sydd bob amser yn fy nghorddi i wrth wylio pêl-droed yw'r chwaraewr sy'n cicio ac yn dal i ddefnyddio egni ar ôl i'r bêl fynd – neu'n syrthio'n ddramatig, wrth gwrs. Beth sydd rhaid i chi gofio yw bod unrhyw egni ar ôl cicio'n wastraff ac nid yw'n ychwanegu unrhyw beth at gyflymder y bêl – mae'r bêl wedi hen fynd a'r egni wedi ei wastraffu.

'Mae'n rhaid i ni ganolbwyntio ar eich cael chi i'r man lle rydych chi'n defnyddio cymaint o egni ag y gallwch chi ar y canfed rhan o'r eiliad yna pan ydych chi'n cyffwrdd y bêl – ac nid ar ôl hynny. Wrth gwrs, mae'n amhosib cicio pêl heb ddefnyddio rhywfaint o egni wedyn.'

Eglurodd yr athro ragor o'i ddamcaniaethau, ond dywedodd y byddai'n gwneud y gwaith egluro rhyw ddiwrnod arall.

‘Dw i’n gwybod bod llawer o hwn yn anodd iawn i chi ei ddeall, achos dydych chi ddim yn dechrau astudio ffiseg yn yr ysgol am ddwy neu dair blynedd arall. Ond fe wna i drio cadw pethau mor syml â phosib er mwyn dangos i chi sut i weithredu’r syniadau hyn.’

Arweiniodd y grŵp i lawr y coridor ac i ystafell wedi ei gorchuddio â gwair ffug. Tynnodd sach o beli o’r cwpwrdd a thaflu un yr un at bawb.

‘Jo, ti yw’r chwaraewr pêl-droed yn ein plith. Dangosa i ni gyd sut mae cicio pêl yn dda.’

Teimlodd Jo’n nerfus yn syth. Gosododd y bêl ar y llawr a sefyll y tu ôl iddi. Symudodd ei goes chwith yn ôl a tharo’r bêl gystal ag y gallai.

‘Ddim yn ffôl,’ meddai’r athro. ‘Giciest ti gyda’r rhan gywir o dy droed a chyffwrdd â’r rhan gywir o’r bêl, a dyna’r ddau peth pwysica. Ond roedd safle dy ben yn anghywir, ac ongl dy goes. Pe bydde hwnna wedi bod mewn gêm a dy fod ti’n sefyll at y smotyn, byddai’r gic yna wedi mynd tua un pwynt tri metr o led ...’

Pennod 21

Roedd Jo wedi ei ryfeddu at yr hyn ddysgodd yr Athro Kossuth iddyn nhw, ac ar ôl i'r holl wersi orffen am y dydd, dychwelodd i'r ystafell ymarfer i roi tro ar bopeth yr oedd wedi ei ddysgu.

Roedd yn hoffi'r teimlad o gicio pêl eto – roedd yn ei atgoffa o fod gartref, a'r holl oriau a dreuliodd yn gwneud yr un peth yn erbyn wal gefn y tŷ. Meddyliodd am ei fam a'i dad a chymaint yr oedd yn gweld eu heisiau. Byddai'r tŷ'n dawel nawr, yn enwedig heb rywun yn cicio'n erbyn y wal o hyd.

Clywodd gnoc ar y drws ac yna cerddodd Mererid i mewn.

'Grêt dy weld di'n ymarfer damcaniaethau'r athro,' gwenodd. 'Ond mae rhaid i ti ddod i'r ffreutur nawr i gael swper. Ni'n mynd ar antur ar ôl i bawb fwyta.'

Dilynodd Jo Mererid at weddill ei ffrindiau, oedd eisoes yn bwyta pryd o fwyd blasus.

'Dere mla'n, Jo,' meddai Ajit. 'Mae'r capten wedi dweud y gallwn ni ymuno ag e ar y bont ar ôl bwyd.'

Roedd Jo'n casáu brysio wrth fwyta, ond roedd ei ffrindiau'n syllu ar bob cegaid. Ar ôl iddo orffen hanner ei fwyd, gwthiodd y plât oddi wrtho a dweud nad oedd eisiau rhagor.

Brysiodd y pedwar arall drwy'r drws gyda Jo yn eu dilyn, wedi iddo ddwyn pecyn o gnau o'r bwrdd bwyd er mwyn cael egni'n hwyrach ymlaen.

'Sgwn i os ydyn ni dan y dŵr neu ar yr wyneb?' meddai Kim wrth iddyn nhw aros tu allan i ddrws y bont lle roedd peirianwaith yr ynys yn cael ei storio.

'Credu'n bod ni dan y dŵr,' atebodd Craig. 'Mae wastad yn teimlo'n llyfnach pan ydyn ni dan y dŵr.'

'Dw i byth yn sylwi'r naill ffordd na'r llall,' meddai Jo. 'Mae'n rhyfedd cyn lleied ry'n ni'n gallu teimlo'r ynys yn symud.'

Cyn gynted ag yr ymunodd Mererid â nhw agorodd y drws a daeth dyn mewn gwisg swyddogol atyn nhw.

'O, y myfyrwyr wedi cyrraedd. Dewch i mewn, dewch i mewn, chi jyst mewn pryd i weld rhan orau'r swydd 'ma.'

'Gobeithio ei fod yn fwy o hwyl na swper neithiwr,' sibrydodd Kim.

Roedd Jo a Jess yn ei chael hi'n anodd peidio â chwerthin, ac edrychodd Mererid arnyn nhw'n fygythiol.

'Reit,' meddai'n uchel. 'Eisteddwch ar y fainc yna a byddwch yn dawel. Mae gan y capten a'i dîm waith pwysig iawn i'w wneud ac mae angen i ni werthfawrogi bod rhaid iddyn nhw ganolbwyntio. Bydd y capten yn siarad â chi pan fydd e'n teimlo bod angen, felly dim cwestiynau tan y diwedd.'

Ac yna, eisteddodd i lawr a gwnaeth y pum plentyn yr un peth. Dyna pryd y cafodd Jo gyfle i weld beth yn union oedd yn yr ystafell – sgriniau'n bennaf a phaneli rheoli – ond yn sydyn sylwodd ar y ffenest anferthol oedd yn gorchuddio un wal. Syllodd Jo arni a sylweddoli eu bod nhw'n bendant o dan y dŵr a bod yr ynys yn symud heibio haid o bysgod.

'Waw!' ebychodd. 'Mae'n edrych fel tanc pysgod anferth!'

'Heblaw taw ni yw'r pethau bach sy'n edrych allan a dyna'r môr anferth yn syllu i mewn arnon ni,' gwenodd y capten.

Doedd y myfyrwyr ddim yn gallu tynnu eu llygaid oddi ar y byd y tu allan i'r ffenest a'r holl wahanol greaduriaid y môr oedd yn eu pasio.

'Ble ydyn ni?' gofynnodd Jo.

'Ry'n ni nawr tua phymtheg cilometr oddi ar arfordir gogledd Barbados, ym Môr y Caribî.

Ebychodd y myfyrwyr. Oedden nhw wedi teithio mor bell â hynny?

'Byddwn ni'n aros oddi ar y lan ond mae sawl ffrind da gyda ni yn Barbados fydd yn sicrhau ein bod yn ddiogel ac yno gallwn ni ailstocio. Byddwn ni hefyd yn croesawu aelod newydd o staff. Bydd Mererid yn dweud rhagor wrthoch chi am hynny.'

'Iawn, dw i'n siŵr taw nawr yw'r amser gorau i ddweud wrthoch chi. O astudio canlyniadau Ajit, ry'n ni'n credu y gallai fod yn chwaraewr criced penigamp, yn bowlio a batio. A chan ei fod yn gallu gwneud cymaint o bethau, mae'n aelod gwerthfawr iawn o unrhyw dîm, felly ry'n ni wedi penderfynu penodi arbenigwr o gartre batwyr a bowlwyr criced gorau ynysoedd y Caribî. Efallai na fyddi di'n adnabod y gŵr bonheddig hwn, Ajit, ond bydd dy dad yn gwybod yn iawn pwy ydyw.

'Fyddwn ni ddim yn canolbwyntio ar dy griced di am sbel, Ajit, efallai ddim tan y flwyddyn nesa, ond bydd y gweddill ohonoch chi'n cael cyfle i ddysgu'r gêm a gweithio ar amryw o sgiliau. A does dim lle gwell i wneud hynny nag o dan haul y Caribî.'

Cododd y capten ei fraich. 'Diolch, Mererid. A nawr wnewch chi fynd yn ôl i'ch seddau a dal yn sownd ar y breichiau rhag ofn i chi gael eich taflu o gwmpas wrth i ni ddod 'nôl i'r wyneb.'

Eisteddodd yr holl blant a dal yn dynn wrth i Gantre'r Gwaelod godi drwy'r dŵr.

'Dyma ni, ry'n ni hanner can metr o'r wyneb,' meddai'r capten gan bwyntio at sgrin gyda rhifau arni oedd yn newid pob eiliad.

Gwibiai'r dŵr heibio'r ffenest a daeth pysgod at y ffenest wrth i Jo wylio'r rhifau'n saethu heibio – 25 ... 20 ... 15 ...

'Daliwch yn dynn!' gwaeddodd y capten, wrth i'r ynys ddechrau symud 'nôl a blaen yn y tonnau. Y clogwyni dorrodd drwy wyneb y dŵr yn gyntaf, a chafodd y rhai oedd yn edrych drwy'r ffenest oddi tani olygfa dda wrth i'r clogwyni ymddangos yn sydyn uwch ben môr glas y Caribî.

Arhosodd Jo tan fod yr ynys yn llonydd cyn camu draw i edrych ar eu lleoliad newydd. Roedd y clogwyni'n wynebu i'r gogledd, i ffwrdd oddi wrth Barbados, ond roedd yn gallu gweld yr ynys ar y sgriniau – diolch i'r camerâu.

Rhyfeddodd at ba mor las oedd y môr; roedd yr awyr hyd yn oed yn fwy glas.

'Pa mor hir ydyn ni'n aros fan hyn?' gofynnodd Craig i Mererid.

'Tri neu bedwar diwrnod, efallai. Mae gwaith cynnal a chadw gyda ni i'w wneud ac mae angen i ni lenwi'r cypyrddau â bwyd. Ond gan ei fod yn lle mor hardd, byddai'n gwneud lles i chi fynd allan a chael awyr iach a digon o Fitamin D.'

'Cŵl,' gwenodd Jess. 'Pan oedden ni ar gwch yng nghanol y nos ym Mae Ceredigion wythnos diwetha, wnes i ddim breuddwydio ein bod ni'n mynd ar wylie i'r Caribî.'

'Y newyddion gwael, fodd bynnag, yw ei bod hi bron â nosi, felly bydd dim amser i chi fynd i nofio cyn iddi dywyllu. Felly tynnwch eich gwisgoedd nofio o'ch cypyrddau a'u gosod nhw'n barod erbyn y bore. Bydd dosbarthiadau fel arfer gyda chi ar ôl brecwast, ond fe gewch chi ymlacio yn y prynhawn ...'

Bloeddiodd y plant yn falch wrth adael yr ystafell.

'Mae hi fel pan mae hi'n bwrw eira adre ac maen nhw'n rhoi diwrnod o'r ysgol i ni,' gwenodd Jo.

'Ond y gwahaniaeth yw nad oes rhaid i ni eistedd tu fewn yn crynu'n yr oerfel ac yn gwylio cartwnau ar y teledu,' chwarddodd Jess.

Pennod 22

'Dw i'n gwybod ein bod ni'n ca'l hanner diwrnod o wylie, ond mae'n ofnadwy bod i mewn fan hyn yn gwrando ar yr Athro Kossuth, gyda'r haul mor gryf tu allan,' cwynodd Craig dros frecwast.

'Daeth neges yn dweud bod angen i ni wisgo cit chwarae, felly mae'n siŵr ein bod ni yn yr ystafell ymarfer?'

Gorffennodd Jo ei sudd moron a chodi.

'Wel fi fydd y cynta i brofi'r gwn cyflymdra gyda fy nghicio. Dw i'n meddwl 'mod i wedi gwella,' meddai'n llawn gobaith.

Ond ni chafodd Jo ddefnyddio'r gwn cyflymdra wedi'r cwbl gan fod yr athro'n sefyll tu allan i'r ystafell ymarfer yn gwisgo gwisg hyd yn oed yn fwy rhyfedd nag arfer. Yn lle'r siwt frethyn, roedd yn gwisgo crys â sgwariau llachar gyda'r llewys wedi eu torri i ffwrdd, a throwsus byr oren oedd yn cyrraedd ei bengliniau, ac yn lle'r esgidiau ymarfer aur, roedd yn gwisgo bŵts pêl-droed hen ffasiwn at ei bigwrn ac roedd y rheini hefyd wedi eu paentio'n aur.

'Wel, fechgyn a merched,' gwenodd, 'er bod

yr astrotyrff yn yr ystafell ymarfer yn llawr digon derbyniol i chwarae arno tra ein bod yn gwibio dros y môr, does dim byd yn union fel cicio pêl yn yr awyr agored. Felly, ni'n mynd i ymarfer y bore 'ma ar y cae gwair ar do Cantre'r Gwaelod, sy'n golygu y bydd angen eich bŵts go iawn arnoch chi.'

Rhedodd y pump i'w hystafelloedd yn llawn cyffro wrth newid eu hesgidiau. Roedden nhw wedi dechrau teimlo'n rhwystredig eu bod yn gorfod treulio'u holl amser o dan do, felly roedd y cyfle i gael awyr iach, yn enwedig mewn lle poeth, yn gyffrous iawn.

'Alla i ddim aros i weld yr awyr eto,' gwenodd Jess wrth iddyn nhw aros.

Daeth Kalvin a thynnu'r bolltau anferth ar y ddau set o ddrysau er mwyn mynd i mewn i'r bwthyn cyn troi ei allwedd yn y clo a gwthio'r drws olaf ar agor. Gwelodd Jo'r haul mwyaf llachar yr oedd erioed wedi ei weld.

'O ie, a chyn i chi fynd i unrhyw le bydd rhaid i chi wisgo'r sbectol haul yma,' meddai Mererid, gan roi pâr yr un iddyn nhw oedd â stribed o lastig i'w dal am eu pennau nhw. 'Rydych chi wedi bod tu fewn mor hir, bydd angen i'ch llygaid chi ddod i arfer â'r haul.'

Cymerodd y pump ohonyn nhw gamau araf a gofalus allan i'r awyr agored a syllu'n gegrwth ar y môr glas oedd o'u cwmpas.

'Mae'n hollol sych hefyd,' cyhoeddodd Kim. 'Mae'n rhaid bod yr haul wedi sychu'r dŵr yn syth wedi i ni ddod i'r wyneb.'

Penliniodd Jo i deimlo'r glaswellt. Teimlai fel unrhyw wair cyffredin ond ei fod yn oleuach na'r gwair oedd ganddo gartref, ond roedd y ddaear yn teimlo fel daear Cymru.

'Ydy, Jo,' gwenodd yr athro. 'Mae'n wair ffug. Byddai'n amhosib tyfu gwair cyffredin gan ein bod yn treulio gymaint o amser o dan y dŵr. Ond mae hwn llawer gwell na'r astrotyrff chi'n gyfarwydd ag e, neu sydd gyda ni o dan do.

'Dyma'r unig le ar y ddaear – heblaw am labordai Gwyddno – y dowch chi o hyd i'r arwyneb hwn. Nid yn unig mae'n rhaid iddo fod yn addas i chwarae arno, ond mae'n rhaid iddo hefyd fod yr un peth â lliw'r gwair ym mha bynnag ran o'r byd y byddwn yn ymweld â hi. Ac wrth gwrs mae'n rhaid iddo allu gwrthsefyll dŵr hallt y môr.'

Camodd Kalvin allan o'r tu ôl iddyn nhw. 'O'n i bron ag anghofio,' meddai. Gwthiodd fotwm ar beiriant ac yn sydyn daeth clwstwr o goed palmwydd o'r ddaear wrth ochr y bwthyn. Rhan o'r cuddliwio,' chwarddodd. 'Bant â chi, ond arhoswch i ffwrdd oddi wrth gegau'r gôl am funud.'

Cododd Jo un o'r peli yr oedd yr Athro Kossuth wedi ei gollwng a dechrau ei driblo tuag at draeth is yr ynys.

'Beth mae'n 'i feddwl wrth gegau gôl?' holodd Kim.

'Falle bod y rhan hon o'r ynys yn debyg i siâp cae pêl-droed,' awgrymodd Ajit.

'Edrychwch!' meddai Craig, wrth i gôl pêl-droed ymddangos o'r ddaear a chodi i'r awyr, gan stopio wrth gyrraedd yr uchder priodol.

'Mae un ar y pen arall hefyd,' meddai Jess.

Gwenodd Kalvin a chwifio'r peiriant. 'Mae'r cwbl fan hyn yn fy mocs triciau,' chwarddodd cyn gwasgu botwm arall a newid lliw stribedi o wair a'u troi'n llinellau gwyn.

Arweiniodd yr athro'r myfyrwyr syn tuag at fan y cic o'r smotyn oedd agosaf at y bwthyn. Unwaith eto, chwaraeodd Kalvin â'r bocs triciau ac ymddangosodd ffens â rhwyd o'r ddaear, tu ôl i'r gôl, a dringo i'r awyr nes ei bod rhyw bymtheg metr o uchder uwch eu pennau.

'Rhag ofn bod rhywun methu â tharo'r

targed,' chwarddodd yr athro.

'Beth sy'n digwydd os yw'r bêl yn taro'r bar ac yn mynd dros yr ochr?' gofynnodd Craig.

'Wel ... bydd rhaid i ni aros i weld a ddigwyddith hynny,' atebodd Kalvin. 'Efallai y byddaf yn penderfynu'ch taflu chi dros yr ochr er mwyn cael y bêl yn ôl.'

Gofynnodd yr athro i'r pump gymryd tri thro'r un i gicio at y gôl – aeth Kalvin i'r gôl ac er iddo symud yn araf, doedd hi ddim yn hawdd cael y bêl heibio o gwbl.

Cofnododd yr Athro Kossuth ble'n union yr aeth y bêl ar ôl pob cic, ac yna aeth drwy ei ddamcaniaeth am gicio pêl, gam wrth gam, gan ofyn i'r plant ei gopïo'n araf iawn.

Roedd hi ychydig bach fel chwarae pêl-droed yn bwyllog, meddyliodd Jo, ond roedd yn ffordd dda o'ch cael chi i feddwl am bob un symudiad. Wedi iddyn nhw feistroli'r camau, roedd rhaid iddyn nhw gyflymu ychydig bach ac yna dychwelyd i'w cyflymdra arferol.

Doedd chwarae pêl-droed ddim yn beth newydd i'r criw, gan eu bod i gyd yn chwarae mewn parciau bach neu yn eu gerddi gartref, ond roedden nhw'n dal i fod yn fwy cywir a phwerus nag yr oedden nhw pan gicion nhw'r bêl y tro cyntaf, a honno bellach yn taro'r targed. Rhyfeddodd Jess nad oedd hi wedi methu'r gôl unwaith.

Ar ddiwedd y bore, roedd gan yr athro syniad.

'Iawn, beth am orffen y sesiwn gyda gêm fach?'

'Gallen ni gael y tri bachgen yn chwarae yn erbyn Kalvin a'r merched, gyda thi fel dyfarnwr,' awgrymodd Ajit.

'Na, na, na,' gwenodd yr athro. 'Byddai hynny'n annheg iawn, a ta beth, dw i eisiau chwarae hefyd.'

'Wel fe allet ti ymuno â'r merched, a gallai Kalvin fod yn ddyfarnwr?' cynigiodd Craig.

'Na. Wnaiff Kalvin a fi wynebu'r gweddill ohonoch chi. Wnawn ni drio ein gorau yn yr hanner cynta a, chan fy mod i'n disgwyl i ni ennill o leia 5-0, wnawn ni ei chymryd hi'n ysgafn am yr ail hanner ...'

Pennod 23

'5-0!' gwaeddodd Craig. Chi'n jocan. Dyw Kalvin ddim yn gallu rhedeg mor gyflym â hynny!'

'Bydd dim angen i Kalvin redeg yn gyflym. Bydd yn chwarae yn y gôl a fi fydd yn chwarae lan y cae. Er mwyn rhoi cyfle i ti fydda i'n gostwng y trawst ar dy gôl o fetr hefyd,' meddai'r athro gan edrych ar Kalvin wrth i hwnnw addasu'r trawst efo'i beiriant.

'A byddwn ni'n chwarae chwarter awr bob ffordd,' ychwanegodd wrth iddo gyflwyno cyfres o ymarferion cyn y gêm.

Casglodd Jo weddill y tîm. 'Mae'n *rhaid* taw jôc yw hyn,' meddai Craig. 'Yr hen ddyn mewn bŵts aur, a Frankenstein yn y gôl! Wnawn ni drechu nhw.'

'Dw i ddim mor siŵr,' meddai Kim. 'Dy'n ni ddim yn bencampwyr pêl-droed chwaith. A sut ti'n meddwl y daeth e'n hyfforddwr pêl-droed yn y lle cynta?'

'Chwaraea di yn y gôl, Craig,' cynigiodd Jo. 'Ti yw'r talaf a ti'n gyfarwydd â deifio wrth chwarae tennis.'

Doedd dim ots gan Craig fynd i'r gôl. 'Iawn.

Ond os na chaf i gyffwrdd â'r bêl yn yr hanner cynta, dw i eisiau dod allan i'r cae ar gyfer yr ail hanner.'

Paratôdd y timau gan ffurfio siâp diemwnt, a gosododd Jo ei hun yn y cefn gyda Jess yn y blaen, ac Ajit a Kim ar yr asgell – cyn i Mererid, oedd wedi dod 'nôl ar gais yr athro, chwythu'r chwiban er mwyn i'r gêm ddechrau.

Ciciodd Jess y bêl at Ajit a ddechreuodd redeg gyda hi.

Daeth Kalvin allan tuag at Ajit, gan leihau'r ardal yr oedd ganddo i gicio, ond ymatebodd Ajit drwy basio'r bêl i'r chwith ble roedd wedi gweld Jo'n rhedeg i'r gofod. Gan gofio popeth yr oedd wedi ei ddysgu gan yr athro dros y diwrnod blaenorol, cafodd Jo afael ar y bêl, ei gwthio yn llydan ac ymlaen a chodi ei goes chwith. Cysylltodd â'r bêl yn berffaith a'i gwylio wrth iddi saethu tuag at gornel uchel y rhwyd.

Roedd Jo eisoes wedi hanner troi i fynd 'nôl i ganol y cae pan wibiodd Kalvin fel llewpard ar draws y cwrt cosbi gan neidio'n uchel ac ymestyn ei fraich anferth o'i flaen. Ymestynnodd ei fysedd mewn pryd i daro'r bêl o'r rhwyd.

Roedd Jo a gweddill y tîm yn gegrwth.

'Sut ...?' ebychodd Kim.

Gwenodd Kalvin. 'Oeddech chi'n meddwl 'mod i'n rhy araf?' chwarddodd.

Rhedodd Jo i gasglu'r bêl a chymryd cic gornel. Edrychodd yn sydyn i weld pwy o'i dîm oedd yn y safle gorau i dderbyn y bêl.

Cafodd sioc i weld bod yr athro'n sefyll ar y llinell ganol ac nad oedd yn ffwdanu i helpu amddiffyn.

Ciciodd Jo'r bêl i'r ardal gosbi, lle syrthiodd yn daclus o flaen Ajit a gymerodd y bêl i fyny at Kalvin cyn ei phasio i'r ochr at Jess.

Sgrialodd Jess i'r cae a gosod y bêl mor bell oddi wrth Kalvin ag y gallai, ond unwaith eto llwyddodd y cawr i gyflymu a deifio ar draws y gôl i gasglu'r bêl.

'Sori Jess,' meddai Jo. 'Wnei di guro fe tro nesa.'

Cerddodd Kalvin allan gyda'r bêl wrth ei draed cyn ei chodi. Bownsiodd y bêl ddwywaith gan wylio'r athro ar hyd yr amser, oedd yn cael ei farcio'n agos gan Jo ac Ajit.

Rholiodd y bêl tuag at y grŵp, a daeth yr athro ati. Aeth Jo ar ei draws er mwyn taclo ond cafodd ei synnu pan ddiflannodd y bêl o'r golwg ac ymddangos y tu ôl i'r athro.

'Sut?' gofynnodd.

'Gwylia fy nhraed i bob tro,' chwarddodd yr athro.

Sgipiodd yr hen academydd heibio Jess ac am y gôl. Ceisiodd Ajit ei daclo ond eto roedd yn rhy araf i'w draed clyfar.

Oedodd yr athro am hanner eiliad, gan edrych ar Craig a'r gôl yr oedd yn ei gwarchod. Ymddangosai fel petai e'n gwneud symiau yn ei ben, cyn codi ei droed dde yn ofalus a chyffwrdd â'r bêl. Cododd honno i'r awyr dros ben Craig cyn chwipio i lawr a heibio iddo ac i mewn i'r rhwyd.

'Sut yn y byd?' cwynodd Craig. 'Hud a lledrith falle.'

Teimlai Jo'n grac bod ei gyd-chwaraewr yn gwneud sylwadau mor blentynnaidd, a dywedodd wrtho am basio'r bêl yn ôl at Kim a oedd yn barod i'w chicio.

Gwenodd yr athro a mynd yn ôl i'r llinell hanner. Rholiodd Kim y bêl at Ajit oedd wedi ei synnu o weld bod yr athro wedi rhedeg at y bêl a'i dwyn hi o dan ei drwyn.

Unwaith eto, rhedodd yr hen ddyn fel rhywun chwarter ei oed, gan fynd heibio i Jo cyn saethu'r bêl ar hyd y ddaear mor gyflym fel nad oedd gan Craig gyfle o gwbl i fynd i'w hatal.

'2-0, a dim ond am dri munud ni'n chwarae,' cwynodd Jess wrth iddi gwrdd â Jo ar yr hanner. 'Mae'r hen ddyn yna yn anghredadwy.'

'Falle nad yw e mor hen ag y mae'n edrych, neu efallai ei fod yn bwyta llawer o'r betys a'r hwmws yna mae Mererid yn ei wthio arnon ni.'

Dilynodd gweddill yr hanner cyntaf yr un patrwm, gyda'r bobl ifanc yn ceisio dal yr hyfforddwr, a'r cawr yn eu rhwystro rhag cael gôl.

Erbyn hanner amser, roedd Craig yn casglu'r bêl o'r rhwyd am y pumed tro a gofynnodd gwestiwn oedd wedi bod ar ei feddwl drwy'r gêm.

'Hei, athro,' meddai. 'Pam fod rhwyd hir i atal y bêl ar eich pen chi ond ddim ar y pen hwn?'

Edrychai'r Athro Kossuth yn ddryslyd i ddechrau ac yna gwenodd.

'Does dim angen rhwyd arnon ni tu ôl i'r rhwyd yna. Dw i ddim wedi methu gôl mewn bron i ugain mlynedd ...'

Pennod 24

Eisteddoddd y pum myfyriwr ar y gwair yn ystod yr egwyl, gan yfed y poteli o ddŵr yr oedd Kelly wedi eu rhoi iddyn nhw.

'O'dd hwnna'n anhygoel,' meddai Kim. 'Mae e mor ffit ac mor gyflym.'

Syllon nhw ar yr athro, oedd yn treulio'r egwyl yn ymestyn ei gyhyrau.

'Mae e'n gallu cicio'n anhygoel,' meddai Jo. 'Mae e fel pe bai e'n gosod pob cic yn ei lle ac yn cynllunio'r cwbl i'r centimetr agosaf. Dw i ddim yn credu bod unrhyw ffordd y gallwn ni ei atal rhag sgorio os geith e'r cyfle. Yr unig beth y gallwn ni ei wneud yw ceisio peidio â gadael iddo fe gael y cyfle yn y lle cyntaf.'

'Haws dweud na gwneud, Jo,' meddai Ajit. 'Mae e'n gryfach nag wyt ti'n ei feddwl ac unwaith mae e wedi cael gafael yn y bêl, mae hi fel pe bai hi'n sownd i ddarn o gortyn.'

'Falle, ond mae cynllun gyda fi,' atebodd Jo.

'Fyddet ti'n hoffi newid ochrau ar gyfer yr ail hanner?' gofynnodd Mererid. 'Yn amlwg, dylen ni fod yn newid, ond os ydych chi'r bois yn cicio i mewn i'r gôl sydd wrth ochr y môr, gall rhai peli fynd dros yr ochr.'

Gwgodd Craig. 'Chwaraewn ni i mewn i'r gôl sydd wrth ochr y môr, diolch. A bydd dim angen rhwydi arnon ni.'

'Iawn,' meddai Mererid, 'ond cofiwch y rheol. Os aiff y bêl i'r môr, mae'n rhaid i chi nofio i'w nôl hi.'

Ailddechreuodd yr athro'r ail hanner, er nad oedd ganddo neb i gicio'r bêl atyn nhw, felly roedd e – a dweud y gwir – yn torri'r rheolau.

Penderfynodd y pedwar chwaraewr mai eu cyfle gorau oedd drwy amgylchynu'r athro a'i atal rhag mynd i unrhyw le gyda'r bêl. Cymeron nhw i gyd safle penodol a gwrthod gadael iddo fynd heibio.

Roedd yr athro'n llawn edmygedd o'u tactegau ac yn hoffi'r her. Triodd bopeth – fflicio'r bêl yn yr awyr i geisio tynnu eu sylw, gwthio'r bêl trwy fwlch, cicio'r bêl â'i sawdl a cheisio cael gafael arni drwy redeg yn ôl – ond bob tro fe lwyddodd y plant i'w rwystro.

'Wel, wel,' gwaeddodd, ar ôl rhedeg mewn cylchoedd am dri neu bedwar munud. 'Mae'r rhain yn dactegau clyfar ac efallai y gwnân nhw weithio mewn gêm fer fel hon. Ond cofiwch, mae'n ddiwrnod cynnes iawn ac fe fyddwch yn blino'n gyflym iawn wrth ddefnyddio'r dulliau hyn. Ond am nawr, chi wedi cael y gorau arna i.'

A chyda hynny, pasiodd yr athro'r bêl at Jess a doedd dim angen unrhyw anogaeth arni i fynd am y gôl. Aeth ati i gicio'r bêl i'r ochr dde o Kalvin ond ar yr eiliad olaf newidiodd a saethu am y chwith.

Roedd Jess yn gwybod bod Kalvin lawer yn gyflymach nag yr oedd wedi ymddangos ar y dechrau, ond y tro hwn, roedd yn ddigon hwyr yn ymateb i'w thacteg, gan roi cyfle iddi. Taranodd y bêl oddi ar y postyn a bownsio i mewn i'r rhwyd.

Neidiodd cyd-chwaraewyr Jess arni, gan gynnwys Craig, oedd wedi rhedeg ar hyd y cae i'w llongyfarch.

'Ocê, ocê, ewch 'nôl i chwarae'r gêm,' meddai. 'Ni'n dal yn colli 5-1.'

Roedd yr athro'n ysu i ailddechrau'r gêm, ond arhosodd i'w wrthwynebwyr ifanc fynd yn ôl i'w safleoedd. Aeth â'r bêl i gyfeiriad y gôl ac roedd ar fin ei chicio pan ddaeth Jo i mewn o'r ochr, dwyn y bêl oddi wrtho a'i chicio i fyny'r cae.

Y tro hwn, tro Ajit oedd hi i gasglu'r bêl, ond aeth y bachgen ifanc tuag at gyfeiriad y lluman cornel â'i grys melyn yn sgleinio yn yr haul.

Roedd Kalvin wedi ei ddrysu gan hyn ac aeth ar ôl yr ymosodwr.

Gadawodd ddigon o le i Ajit daranu'r bêl heibio i'r cwrt cosbi lle daeth Kim i mewn i reoli'r bêl a'i chicio, gydag ochr ei throed, i mewn i'r rhwyd wag.

'Dwy,' gwaeddodd Craig. 'Dewch mla'n bawb, allwn ni drechu'r hen ddynion 'ma.'

Ond er gwneud eu gorau glas, methodd y pump â chreu rhagor o gyfleoedd i sgorio. Dywedodd Mererid wrth Craig fod llai na hanner munud ar ôl o'r gêm pan gasglodd y bêl a'i chicio i fyny'r cae.

Sylwodd y gôl-geidwad fod ei wrthwynebwr wedi dod at ymyl y cwrt cosbi i ddweud rhywbeth wrth yr athro, felly penderfynodd Craig gymryd mantais.

Gollyngodd y bêl ar ei droed dde a'i chicio mor galed ag y gallai. Glaniodd y bêl ryw bum metr o flaen Kalvin a bownsio dros ei ben. Sylweddolodd y gôl-geidwad anferth beth oedd yn digwydd a phenderfynu nad oedd y bêl yn symud yn ddigon cyflym. Rasiodd yn ôl dri neu bedwar cam cyn deifio'n syth at y bêl. Roedd rhyw fetr neu ddau wrth y gôl pan drawodd hi gyda'i ddwrn anferth.

'O na,' gwaeddodd Jo, wrth i'r bêl hedfan i'r awyr. Gwyliodd yr holl chwaraewyr wrth iddi saethu i'r awyr, wyth, naw, deg metr i fyny cyn dechrau syrthio.

Aeth Kalvin yn ôl i'w linell rhag ofn i'r bêl lanio 'nôl ar y cae, ond doedd dim angen iddo boeni. Glaniodd y bêl ar y croesfar, bownsio i'r awyr eto cyn glanio ym Môr y Caribî.

'Ha ha, mae Craig yn gorfod mynd i nofio,' chwarddodd yr athro.

'Na!' atebodd y gôl-geidwad. 'O'dd fy ergyd i'n hedfan tuag at y gôl – Kalvin fwriodd hi mewn i'r môr.'

Camodd Mererid at ochr yr ynys ac edrych allan ar y môr, lle roedd y bêl yn arnofio.

'Dw i'n credu bod Craig yn iawn. Kalvin, dy fai di o'dd e, felly mae'n rhaid i ti nôl y bêl,' meddai.

Roedd gan Craig wên anferth ar ei wyneb.

'Dw i'n edrych mlaen i weld y dyn mawr 'na'n mynd yn wlyb,' chwarddodd wrth i'w gyd-chwaraewyr blinedig eistedd ar y gwair, wrth eu boddau bod y gêm drosodd.

Ond Kalvin gafodd y llaw uchaf. Tynnodd y peiriant bach o'i got fawr a throi un o'r botymau wrth ei bwyntio at y bêl yn y môr. Saethodd y bêl i'r awyr a hedfan, fel pe bai ganddi adenydd, yr holl ffordd yn ôl i'r ynys. Syrthiodd wrth draed Kalvin. Cododd hi â blaen ei droed a'i phasio at Craig.

'O na,' cwynodd Craig. 'Gobeithio y byddech chi wedi dweud wrtho am ddefnyddio'r peiriant yna pe bydden i wedi cicio'r bêl i'r môr.'

'Falle,' gwenodd Mererid. 'Falle ddim.'

Pennod 25

Treuliodd y myfyrwyr eu prynhawn yn gorweddian yn yr haul ac yn nofio yn y môr cynnes. Jess a Craig oedd y nofwyr gorau a buon nhw'n rasio ei gilydd i gyrraedd pêl yr oedd Kalvin wedi ei chicio i'r dŵr.

Roedd nofio oddi ar Cantre'r Gwaelod yn brofiad gwahanol gan nad oedd traeth na dŵr bas i nofio ynddo. Roedd hi fel neidio mewn i bwll nofio anferth oedd â phen dwfn yn unig, felly arhosodd y tri arall yn agos at y lan gan nad oedden nhw'n nofwyr hyderus.

Cafodd Jo ddigon ar chwarae yn y dŵr ar ôl ychydig a phenderfynodd archwilio'r ynys, gan nad oedd ond wedi ei gweld yn gyflym y bore cyntaf hwnnw ym Mae Ceredigion. Roedd Jess a Craig yn dal i fod ugain metr allan yn y môr, ac roedd Ajit a Kim yn chwarae polo dŵr gyda'r peli eraill, felly aeth i grwydro ar ei ben ei hun.

'Bydd yn ofalus wrth i ti fynd i fyny'n agos at y clogwyni, Jo,' meddai Kalvin, oedd fel pe bai'n wyliwr y glannau neu'n warchodwr dros bawb am y prynhawn.

'Wrth gwrs,' meddai Jo, wrth ddringo'r allt

oedd yn mynd yn fwy fwy serth wrth iddo fynd i fyny. Trodd yn ôl ac edrych ’nôl i lawr ar yr ynys a rhyfeddu at y syniad o’r ynys gudd hon oedd wedi goroesi ar ôl boddi Cantre’r Gwaelod, a’r ffaith ei bod bellach yn academi chwaraeon. Roedd yr holl beth yn anghredadwy.

‘Mae Gwyddno yn amlwg yn athrylith ac yn ddyn busnes ardderchog ond mae e hefyd ychydig bach yn wallgo,’ chwarddodd yn dawel.

Cerddodd i fyny’r grisiau olaf tuag at dop yr ynys, gan gymryd cyngor Kalvin a chadw’n glir o ochr y dibyn. Eisteddodd a syllu ar y môr. Teimlai’n rhyfedd. Ai fel hyn roedd Seithennyn yn teimlo?

‘Mae’r bois gartre yng Nghymru siŵr o fod yn ceisio cadw’n gynnes, yn hyfforddi allan yn y gwynt a’r glaw tra ’mod i’n gorweddian o gwmpas yn yr haul poeth yma,’ meddyliodd. ‘Dy’n nhw siŵr o fod ddim yn gweld fy eisiau i o gwbl – ddim ar y cae, ta beth – ac ma’ siŵr bod Robbie’n dal i aros am alwad gan y sgowt yna.’

Caeodd ei lygaid a meddwl am ei gartref a’r holl bethau yr oedd yn gweld eu heisiau. Doedd e ddim eisiau teimlo’n rhy hiraethus, ond roedd e’n methu peidio meddwl am gawl ei fam a beth allai fod yn digwydd i'r bwystfilod ar ei hoff gyfres deledu.

Gan ei fod mor flinedig ar ôl ei holl waith yn y gêm bêl-droed, a chan ei fod mor gynnes yn yr haul, syrthiodd Jo i gysgu a breuddwydio am fwystfilod yn bwyta cawl.

'Jo! Ti'n iawn?' Deffrodd yn sydyn i lais Kalvin oedd ar waelod yr allt. Roedd y pedwar plentyn arall allan o'r dŵr ac wedi eu lapio mewn tywelion ac yn sefyll wrth ochr y bwthyn. Roed hi hefyd yn dywyllach a gwelodd fod yr haul cryf wedi troi'n goch ac yn hofran uwch ben y gorwel.

'Mae'n tywyllu'n gyflym iawn fan hyn,' meddai Kalvin. 'Dere i lawr ac fe awn ni mewn i gael bwyd.'

Cododd Jo ac edrych am y tro olaf dros y clogwyni a chafodd sioc o weld yr un goleuadau'n fflachio ag a welodd yr wythnos flaenorol.

'Kalvin,' gwaeddodd, 'mae'r goleuadau hyn yn eu hôl eto! Allwch chi ddweud wrth Mererid am ddod yma'n gyflym?'

Gwthiodd y cawr o ddyn fotwm ar ei ffôn ac fe ddaeth Mererid a ddau arall o griw Cantre'r Gwaelod allan drwy ddrws y bwthyn o fewn tri deg eiliad.

'Jo – mae e wedi gweld e eto,' meddai Kalvin wrthyn nhw wrth iddyn nhw frysio i fyny'r allt.

Pwyntiodd y bachgen ifanc at lle roedd wedi gweld y goleuadau yn y gwyll.

'Ie, dw i'n ei weld e hefyd,' meddai Mererid. 'Ocê, Jo, ewch chi'n syth i lawr nawr.'

Syllodd rheolwr yr academi ar yr awyr cyn cymryd pâr bach o finocwlars o'i phoced ac edrych yn agos ar y goleuadau.

'Reit, Kalvin, mae angen i ni fynd dan y dŵr, yn gyflym. Alli di dacluso'r goliau yna? Well i ni fynd. Af i'n syth at y bont ond mae angen i ni fod o dan y dŵr mewn pum munud – a dim mwy.'

Pennod 26

Suddodd yr ynys o dan y tonnau bedwar munud a dau ddeg tri eiliad yn ddiweddarach, ac erbyn hynny roedd Jo, Craig ac Ajit yn ôl yn eu hystafelloedd. Roedden nhw i gyd wedi eu hysgwyd oherwydd yr hyn oedd wedi digwydd, ac roedd Craig ac Ajit wedi dechrau dadlau eto dros dro pwy oedd hi i gael cawod.

Penderfynodd Jo eu gadael ac aeth i orwedd ar y gwely. Roedd rhywbeth yn rhyfedd am yr eiliadau olaf hynny ar ben y clogwyn, ond doedd e ddim yn gwybod beth yn union oedd yn bod. Edrychodd drwy gylchgrawn a cheisio anwybyddu Craig ac Ajit.

Daeth Ajit o'r gawod gyntaf ac eistedd ar ochr ei wely gan sychu ei wallt â thywel.

'Welest ti'r goleuadau od yna eto, do, Jo? Beth ydyn nhw, ti'n meddwl?'

'Dw i ddim yn gwybod, Ajit, ond mae Mererid i'w gweld yn bryderus iawn amdanyn nhw ...'

Roedd rhywbeth wedi taro Jo. Roedd e wedi cyfeirio at y goleuadau fel mwy nag un – 'nhw' ond roedd Kalvin a Mererid wedi son amdanyn nhw fel un golau. 'Ie, dw i'n ei weld e hefyd,' oedd Mererid wedi ei ddweud. Mae'n rhaid eu bod nhw'n gwybod beth oedd yna. Eglurodd hyn wrth Ajit.

'Ti'n meddwl bod awyren yn ein dilyn ni?' holodd Jo. 'Mae'n rhy isel yn yr awyr i fod yn lloeren, ac yn rhy uchel i fod yn llong.'

'Gallai fod yn ddrôn,' awgrymodd Ajit. 'Ond mae'n rhaid bod ganddo fatri pwerus tu hwnt i'n dilyn ni mor bell â hyn.'

'Falle bod llong yn ei ddilyn e ac yn ailbweru'r batris,' meddai Jo. 'Neu fod dau ddrôn yn cymryd eu tro.'

'Neu falle ei fod fel yr holl ynys yma a bod ganddo baneli solar hefyd?' ychwanegodd Ajit.

Pan oedd Jo wedi gorffen cael cawod gwisgodd ei dracsiwt du yn gyflym a mynd i chwilio am Mererid. Roedd hi ar y bont gyda'r capten felly curodd Jo ar y drws.

Gallai glywed lleisiau'n dadlau cyn i Mererid ddod i ateb y drws.

'Beth sy'n bod?' meddai'n flin.

'Ydych chi'n gwybod beth yw'r goleuadau?' gofynnodd.

Oedodd Mererid cyn ateb. 'Mae syniad gyda ni.'

'Ai drôn yw e?' gofynnodd Jo.

‘Pam ti’n meddwl hynny?’ gofynnodd Mererid, oedd wedi troi at Jo.

‘Achos fe gyfeirioch chi at y goleuadau fel “fe” ac nid “nhw”,’ meddai wrthi.

Syllodd Mererid arno ac ochneidio.

‘Clyfar iawn. Ydyn, ni yn meddwl taw drôn sydd yna. Ond, mae rhyw fasgio electronig wedi cael ei ddefnyddio i atal ein radar ni rhag ei weld. Ry’n ni’n poeni, achos mae’n dangos bod gan bwy bynnag sy’n ein dilyn ni dechnoleg slic iawn, a digon o arian.

‘Alli di beidio â dweud wrth y lleill, plis? Dw i ddim eisiau iddyn nhw fynd i banic a meddwl eu bod nhw mewn perygl.’

‘Dw i ddim yn gwybod am hynny ...’ meddai Jo, yn ofalus. ‘*Ydyn ni* mewn perygl? Ajit oedd yr un feddyliodd y gallai hwn fod yn ddrôn, a dw i’n meddwl eu bod nhw i gyd yn haeddu cael gwybod beth sy’n digwydd. Fydd neb yn mynd i banig.’

Syllodd Mererid yn ôl ar Jo.

‘Falle dy fod ti’n iawn ynglŷn â dweud wrthyn nhw. Ond dy’n ni ddim wir yn gwybod llawer am y drôns ein hunain. Fe siarada i â’r capten ac fe alwa i heibio mewn rhyw hanner awr pan fyddwch chi’n cael swper. Ond plis paid â dweud unrhyw beth cyn hynny.’

Gadawodd Jo'r bont a threulio'r hanner awr nesa yn osgoi Ajit. Crwydrodd i'r ystafell ymarfer a phenderfynu rhoi tro ar ychydig o rygbi. Doedd e ddim wedi chwarae'r gamp o'r blaen ond roedd wedi mwynhau ei gwylio ar y teledu ac roedd yn credu y gallai fod hyd yn oed yn well yn y gêm nag yr oedd yn chwarae pêl-droed – ond roedd yn hoffi pêl-droed gormod i roi'r gorau i'r gamp honno.

Roedd rhai ymarferion yr oedd Kelly wedi eu dysgu iddyn nhw yr oedd e'n eu mwynhau, gan gynnwys pasio i chwaraewr hologram oedd yn cyhoeddi eu marc nhw o bump ar ôl iddyn nhw 'ddal' y bêl, a math o ddartiau ar gyfer taflwyr i'r llinell oedd hefyd yn cofrestru eu sgôr yn erbyn y cyfrifiadur. Roedd Jo wedi mynd i mewn i'r ystafell gan ddefnyddio ei gerdyn felly byddai ei sgoriau i gyd yn cael eu cofnodi yn ei ffeil. Roedd yn ffordd dda o wybod sut roedd yn datblygu ym mhob camp neu weithgaredd.

Canodd ei oriawr i ddweud wrtho fod swper yn barod, felly taclusodd yr ystafell a mynd i'r ffreutur. Roedd y pedwar arall eisoes yn bwyta.

'Hei, Jo, beth ddigwyddodd i ti? Gest ti siarad â Mererid?' gofynnodd Ajit.

'Do', meddai Jo, 'ac mae hi'n mynd i ddod i

siarad â ni mewn munud neu ddau ...'

'Felly, beth mae hi'n mynd i'w ddweud wrthon ni?' gofynnodd Kim.

'Beth yw'r goleuadau yma?' gofynnodd Jess.

Cododd Jo ei ddwylo. 'Sori, sori, dw i wir ddim yn gwybod beth yn union mae hi'n mynd i'w ddweud wrthon ni, ond dw i'n credu y bydd hi'n dweud ein bod ni'n cael ein dilyn.'

Pennod 27

Roedd ffrindiau Jo wedi synnu gan ei awgrym ac roedden nhw'n dal i siarad am y peth mewn lleisiau uchel pan ddaeth Mererid drwy'r drws bum munud yn ddiweddarach.

Cododd ei llaw dde i'w cyfarch, ac i ddweud wrthyn nhw i fod yn dawel.

'Iawn, blant, dw i'n ymddiheuro am y newid cynlluniau mor sydyn a'n bod ni wedi gorfod gadael mor gyflym. Roedd hyn oherwydd bod Jo wedi gweld goleuadau yn yr awyr ac ry'n ni bellach yn credu eu bod yn rhan o ddrôn sydd wedi bod yn ein dilyn ni am beth amser. Dy'n ni ddim yn deall, achos does dim ffordd o ddod o hyd i ni o dan y dŵr, ac eto mae hwn yn ymddangos bob tro ry'n ni'n dod i'r wyneb, felly bydd rhaid i ni wneud ymholiadau pellach. Ond dy'n ni ddim yn gwybod pam ei fod yn ein dilyn ni.

'Mae amheuon gyda ni. Chi yn deall eich bod yma i dderbyn y technegau mwya modern ym myd y campau o ran maeth a thechnoleg. Ry'n ni'n gobeithio y gallwn ni ddefnyddio'r rhain er mwyn eich troi chi'n bencampwyr chwaraeon sy'n gallu gwneud unrhyw beth gyda'ch cyrff a'ch meddyliau yn y maes y byddwch chi yn ei ddewis.

'Ond mae gwybodaeth fel hon yn anodd i'w chael. Mae chwaraeon yn fusnes mor llewyrchus nes bod llywodraethau, clybiau chwaraeon mawr a gwneuthurwyr dillad chwaraeon yn fodlon talu miliynau er mwyn cael mynediad i'r academi yma ac astudio'r hyn ry'n ni'n ei astudio. A ry'n ni'n gwybod y byddai rhai o'r bobl hyn yn fodlon torri'r gyfraith i wneud hynny.

'Cawson ni wybodaeth bod rhywun yn bwriadu sleifio ar yr ynys ond fe lwyddon ni i rwystro hynny. Dw i'n deall bod rhywun wedi dilyn tacsi Craig ond rhoddwyd stop ar hynny hefyd.'

Amneidiodd Craig. 'Diffoddodd y gyrrwr tacsi ei oleuadau, a llwyddon ni i'w colli nhw, ond dim ond o drwch blewyn.'

'Wel, dy'n ni ddim yn siŵr pwy sydd wrthi, ond mae ofn arnon ni eu bod nhw wedi gallu gosod rhywbeth ar yr ynys sy'n ymddwyn fel rhyw fath o dywysydd i ryw ddyfais tracio, sydd naill ai yn y drôn rhyfedd yma neu ar ryw fath o long sy'n ei ddilyn.'

Cododd Kim ei llaw er mwyn gofyn

cwestiwn. 'Ond ydyn ni mewn perygl o gwbl? Ydyn nhw'n mynd i drio boddi'r ynys?'

'Dw i'n siŵr na fyddwch chi mewn unrhyw fath o berygl,' atebodd Mererid. 'Mae pwy bynnag sy'n gwneud hyn yn bwriadu copïo neu ddwyn ein dulliau ni.'

Edrychodd y pump ar ei gilydd. Doedd dim panig ond roedden nhw i gyd yn bryderus iawn.

'Allwn ni fynd adref?' gofynnodd Jess.

'Byddai'n fwy peryglus i drio'ch cael chi i faes awyr rhyngwladol,' atebodd Mererid. 'Dy'n ni ddim mewn perygl o dan y dŵr, a byddwn ni'n trio deall sut maen nhw'n ein dilyn ni. Peidiwch â chynhyrfu a chadwch at eich gwaith. Fe wnawn ni siarad â Gwyddno a gweld a fydd rhaid i ni wneud penderfyniadau fel yna ar yr adeg iawn.

'Mae gan y capten gynllun i guddio ar ynys dawel am gyfnod – mae rhaid i ni gysylltu â Deryck, yr hyfforddwr criced yr oedden ni fod i'w gasglu yn Barbados. Mae e tua dau gan gilometr o ffwrdd felly byddwn ni yna cyn y bore.

'Dw i'n awgrymu eich bod yn cael ychydig o gwsg a pheidiwch â phoeni – mae popeth dan reolaeth,' meddai Mererid cyn iddi adael y ffreutur.

Roedd y pump wedi dychryn gan y datblygiadau a doedd dim llawer o awydd bwyd arnyn nhw am weddill y pryd.

Wrth iddo chwarae â'i fwyd, trodd Craig at Jess. 'Oeddet ti o ddifri ynglŷn â mynd adre?'

'O'n,' atebodd. 'Dw i ddim am aros fan hyn i gael fy saethu gan ddihirod. Mae ofn arna i.'

'Dw i ddim yn meddwl bod llawer o siawns o hynny'n digwydd,' meddai Jo. 'Ry'n ni'n cael ein gwarchod yma ac fe lwyddon nhw gael yr holl ynys dan y dŵr mewn munudau.'

'Wel, trueni na allen nhw ddarganfod beth sy'n gwneud i'r drôn yna ddod ar ein holau ni. Mae'n fy ngwneud i'n nerfus iawn,' meddai Jess.

Pennod 28

Ni chysgodd y plant ryw lawer y noson honno. Roedd yr ynys yn teithio'n hynod o gyflym nes bod sŵn y peiriannau i'w glywed, a doedd Jo ddim yn gallu cael sŵn y drôn o'i ben.

Deffrodd i sŵn blip o'i oriawr yn dweud wrtho fod ei ddosbarthiadau'n digwydd yn ôl yr arfer, ac roedd yr hyfforddwr tennis yn awyddus i ymarfer eu dulliau o daro'r bêl. Llusgodd ei hunan o'r gwely, gan wybod yn iawn nad oedd wedi cael hanner digon o gwsg, a mynd i'r gawod.

Deffrodd yn oerni'r dŵr a theimlai'n barod ar gyfer y diwrnod oedd o'i flaen. Gwisgodd yn gyflym a gadael yr ystafell wely gan fynd am y grisiau troellog a'i harweiniodd i'r ystafell lle roedd wedi gweld y drôn am y tro cyntaf.

Wrth iddo gyrraedd y grisiau, fodd bynnag, gwelodd ei fod yn cael ei warchod – gan Kalvin.

'Bore da, Jo bach, a pham wyt ti yn y rhan hon o'r ynys lle nad wyt ti i fod?'

'O, bore da, Kalvin. O'n i jyst yn mynd am dro ac eisiau dringo'r grisiau er mwyn cynhesu cyn chwarae tennis. Does dim grisiau arall ar yr ynys.'

Edrychai Kalvin arno'n amheus. 'Wir? Wel, 'sdim niwed yn hynny. Ond paid â dringo allan o'r drws ar y clogwyni, wnei di?'

Gwenodd Jo yn ufudd gan ddyfalu pa ddrws yr oedd Kalvin yn sôn amdano. 'Fydda i ddim mwy na deg munud yn mynd i fyny ac i lawr,' ychwanegodd.

Rhedodd Jo i fyny'r grisiau mor gyflym ag y gallai ac ni wnaeth hyd yn oed oedi i gymryd anadl cyn iddo gyrraedd y dec uchaf.

'198 ... 199 ... 200 ...' ebychodd dan ei anadl wrth ddringo'r gris olaf a phwysodd dros y ffens i gael seibiant. Ar ôl rhai eiliadau sylweddolodd nad oedd ganddo lawer o amser felly rhedodd ar hyd y llwybr i'r ystafell wylio. Pan oedd y tu mewn, aeth yn syth at y ffenestri, gan sylweddoli eu bod ar wyneb y môr wrth i olau'r haul lenwi'r ystafell. Syllodd ar y tonnau oddi tano cyn iddo edrych ar yr awyr i weld a oedd unrhyw beth yno.

Doedd dim i'w weld, felly dihangodd o'r ystafell a mynd i lawr y grisiau mor gyflym ac mor ddiogel ag y gallai.

'198 ... 199 ... 200 ...' meddai wrth i'w draed daro'r llawr ar ôl iddo gyrraedd y gwaelod.

Gwenodd Kalvin arno. 'Dau gant i fyny a lawr,

mae hynny'n waith ffitrwydd da,' chwarddodd. 'Bydden i'n barod i fynd i'r gwely ar ôl ffasiwn beth. Mwynha'r tennis ac ymlacia,' ychwanegodd wrth i Jo fynd yn ei flaen.

Ymunodd Jo â gweddill y dosbarth yn y ffreutur i gael brecwast.

'Uwd heddi, am ryw reswm,' cwynodd Craig. 'Ni fan hyn yn y Caribî ble mae digon o ffrwythau ffres a phethau neis eraill ac mae'n rhaid i ni fwyta'r bwyd llwyd afiach yma – sy'n edrych hyd yn oed yn fwy afiach mewn bowlen las.'

'O, paid â chwyno gymaint, Craig,' chwarddodd Jess. 'Mae uwd yn dda i ti. Tase ti ddim yn breuddwydio yn y dosbarthiadau maeth, fyddet ti'n gwybod pa mor dda yw e.'

'Ti wedi rhoi'r gorau i boeni am y bobl yna sy'n ein dilyn ni ac wedi symud ymlaen at bethau pwysicach fel brecwast, dw i'n gweld,' chwarddodd Kim.

'Wel, mae'r capten wedi penderfynu ein bod ni'n ddiogel am nawr. Ry'n ni newydd ddod i'r wyneb,' meddai Jo, gan ddweud wrthyn nhw am ei antur ar y dec uchaf yn gynharach.

'Nag wyt ti'n poeni am gael dy gosbi?' gofynnodd Jess.

'Dw i fel arfer yn ofalus iawn, a bod yn onest,' meddai Jo, 'ond do'n i ddim yn gallu cysgu ac o'n i eisiau gweld beth oedd yn digwydd. A beth yw'r peth gwaethaf allai ddigwydd? Allan nhw ddim fy niarddel i – maen nhw wedi dweud yn barod nad ydyn nhw'n gallu ein gadael ni i fynd oddi ar yr ynys 'ma, a dw i'n meddwl y byddai ofn arnyn nhw y bydden ni'n gwerthu'r holl gyfrinachau – pe bydden ni'n gallu cofio beth oedden nhw.'

Roedd y pump yn dawel am weddill y brecwast gan fod gymaint ganddyn nhw i'w ystyried. Torrodd Mererid ar eu traws.

'Bore da, a chroeso i Carriacou ...'

'Ble?' gofynnodd Jess, oedd yn gwybod llawer am ddaearyddiaeth ond doedd hi ddim wedi clywed am y lle hwn.

'Carr-i-a-cou,' meddai Mererid yn araf. 'Mae'n ynys fach mewn grŵp o ynysoedd o'r enw'r Grenadines. Treuliodd ein capten amser yma ychydig o flynyddoedd yn ôl ac mae ganddo rai ffrindiau yma fydd yn edrych ar ein holau. Mae angen i ni wneud archwiliad i weld os oes unrhyw beth ar ein hynys ni sy'n helpu i'r drôn i'n dilyn.

'Byddwch chi'n gadael yr ynys ac yn treulio'r

diwrnod ar Carriacou wrth i ni orffen ein harchwiliad. Bydd Kalvin yn mynd gyda chi, ond plis, plis, plis peidiwch â chrwydro,' meddai gan syllu ar Jo.

'Byddwn ni'n cael dosbarthiadau yna?' gofynnodd Craig.

'Na, yn anffodus does dim cyfleusterau yna. Ystyriwch y peth fel gwyliau hanner tymor – mae'n debyg bod traethau hyfryd yna, ac fe aiff Kalvin â chi i loches crwbanod, os oes gan unrhyw un ddiddordeb ...'

'Crwbanod?' meddai Jess. 'Ie plis, dw i wrth fy modd â chrwbanod.'

Pennod 29

Pan gyrhaeddodd y plant wyneb yr ynys, roedd cwch bach yn aros amdanyn nhw ac roedd dyn byr yn eistedd yn y cefn.

'Bil ydw i,' gwenodd, 'ond mae fy ffrindiau a fy ngelynion yn fy ngalw'n Bil Bach.'

Cyflwynodd Kalvin ei hun a'r pum myfyriwr a dweud wrtho y bydden nhw'n hoffi mynd ar y tir.

'Wna i fynd â chi i'r brifddinas gynta,' meddai.

Roedden nhw'n ddigon agos i'r tir mewn bae tawel gydag un adeilad bach yn unig yn edrych drosto. Aeth y cwch bach dros y dŵr llyfn yn gyflym iawn ac i lawr yr arfordir.

Rhoddodd Jo ei law yn y dŵr clir; gallai weld pysgod lliwgar dan y wyneb.

'Gofalus,' rhybuddiodd Bil. 'Mae gan y rhai gwyn ddannedd fel rasel. Gei di dy gnoi os ei di'n rhy agos.'

Tynnodd Jo ei law o'r dŵr yn syth a chwarddodd pawb.

'A pheidiwch â mynd oddi ar y brif ffordd ar yr ynys,' awgrymodd Bil. 'Mae digon o nadroedd a thrychfilod yn y gwair hir.'

'Dyw'r lle 'ma ddim yn swnio'n ddiogel iawn,' ochneidiodd Kim.

Gwyrodd Bil y cwch bach o gwmpas y penrhyn ac anelu at wal yr harbwr.

'Croeso i'r brifddinas,' gwenodd gan bwyntio at y gorwel a chlwstwr o ryw gant o adeiladau un llawr neu ddeulawr.

'Dim dinas yw honna!' meddai Jess.

'Honna yw'n prifddinas ni,' gwenodd Bil. 'Does dim rhai mwy na hyn ar Carriacou.'

Roedd car mawr yn aros ar wal yr harbwr ac arweiniwyd y plant ato yn syth.

'Dywedodd Mererid nad oedden ni fod i loetran mewn unrhyw leoedd cyhoeddus,' eglurodd Kalvin. 'Felly ni'n mynd i fynd â chi i'r lloches crwbanod, ac mae Gwyddno wedi trefnu ein bod ni'n cael gwesty i ni'n hunain heddiw, a heno os oes angen.'

'Heno?' gofynnodd Kim. 'Ydy hynny'n golygu ein bod ni'n aros dros nos?'

'Does dim byd yn bendant eto,' atebodd Kalvin. 'Dw i wedi cael cyfarwyddiadau i fynd â chi i'r gwesty i gael pryd o fwyd ac yna i aros i rywun ddod i'n casglu ni. Ni wedi cadw ystafelloedd rhag ofn bydd unrhyw oedi.'

'Beth am ddillad?' gofynnodd Craig. 'Mae

angen i ni newid ddwywaith y dydd yn y gwres yma, a bydd angen dillad fory hefyd.'

'Ddwywaith y dydd?' chwarddodd Kalvin. 'Ti'n amlwg ddim yn gwneud dy olch dy hun, Craig! Ond paid poeni, mae Bil yn mynd draw i'r ynys ac fe wnaiff e gasglu dillad glân i chi erbyn y bore – a beth bynnag arall mae Mererid yn penderfynu ei anfon atoch chi.'

Gyrron nhw drwy'r ddinas a chyrraedd cefn gwlad. Roedd Craig a Kim yn dadlau dros rywbeth felly edrychodd Jo allan drwy'r ffenest. Roedd yr awyr mor las ond edrychai tai'r bobl fel cytiau.

'Ni'n cael llawer o gorwyntoedd,' esboniodd y gyrrwr pan welodd Jo'n syllu ar y tai. 'Mae llawer o'r cartrefi'n cael eu difetha felly mae pobl yn byw mewn cytiau tan iddyn nhw adeiladu tŷ newydd.'

Meddyliodd Jo am ei gartref ei hun mewn gwlad lle nad oedd angen poeni am dywydd eithafol. Roedd dioddef gwynt a glaw Cymru'n bris bach i'w dalu am hynny.

Trodd y car i fyny heol lle'r oedd jwngl ar bob ochr. Dyma beth oedd Bil wedi eu rhybuddio nhw amdano – doedd gan Jo ddim bwriad o grwydro i'r coed hyn i ganol nadroedd peryglus.

Roedd y lôn fel petai'n mynd ymlaen am byth – o leiaf dri neu bedwar o gilometrau – ac roedd y grŵp yn boenus ac yn flinedig ar ôl dal yn dynn wrth i'r car fynd dros dyllau ac elltydd.

Ar ddiwedd y lôn roedd clwstwr bach o adeiladau a grisiau'n arwain i'r traeth. Daeth menyw allan i'w cyfarch.

'Croeso i'n noddfa,' gwenodd. 'Dw i'n deall eich bod yn ffrindiau i Bil, sy'n golygu eich bod yn ffrindiau i fi. Dewch i mewn a gwnewch eich hunain yn gartrefol. Mae gennym grŵp o grwbanod môr bach y gwnaethon ni eu hachub bore 'ma. Dewch i gwrdd â nhw.'

Roedd Jess wrth ei bodd yn cyffwrdd â'r creaduriaid wrth i'r fenyw, Wanda, ddod â nhw i'w dangos. Doedd gan Jo ac Ajit ddim llawer o ddiddordeb, a'r cwbl wnaeth Craig a Kim oedd crwydro i lawr i'r traeth ac eistedd mewn cwch rhwyfo gwag ar y tywod.

Ar ôl tipyn, crwydrodd Jo i ymuno â nhw a gwneud ychydig o gymnasteg gyda Craig, oedd yn ceisio sefyll ar un llaw mor hir ag y gallai.

'Da iawn, Craig,' gwenodd Jo. 'Ti wedi cymryd at y gamp newydd 'ma. Bydd Anna wrth ei bodd pan welith hi pa mor bell rwyt ti wedi dod.'

Buon nhw'n gwneud pob math o ymarferion, gan ddangos yr holl driciau yr oedden nhw wedi eu dysgu, a chan ryfeddu at ba mor heini a chryf yr oedden nhw erbyn hyn. Ond ar ôl tipyn cawson nhw lond bol a phenderfynu gorwedd ar y tywod yn syllu ar y môr.

'Mae hwn yn od,' meddai Kim. 'Mae fel petaen nhw am i ni gadw draw o'r ynys.'

'Wel, falle eu bod nhw angen amser i ymchwilio i'n cefndir ni,' awgrymodd Jo.

'Ond nag y'n nhw wedi gwneud hynny cyn i ni gyrraedd?' holodd Ajit.

'Oni bai bod un ohonon ni *yn* ysbïwr ...' meddai Kim.

Pennod 30

Gwrthodai Jo â chredu y gallai unrhyw un o'i ffrindiau fod yn ysbïwr ar ran rhywun oedd eisiau dwyn cyfrinachau Cantre'r Gwaelod. Ond yr holl ffordd yn ôl i'r ddinas, cadwai lygad ar bawb yn eu tro er mwyn gweld a oedden nhw'n edrych yn amheus o gwbl. Daliodd Kim yn gwneud yr un peth, a gwenodd y ddau ar ei gilydd yn rhyfedd.

Gwrddon nhw â Bil mewn gwesty bach y tu allan i'r dref, lle'r oedd wedi dod â bag llawn o ddillad iddyn nhw. Roedd cinio'n barod ar eu cyfer.

'Grêt, dw i'n llwgu,' meddai Craig. 'Beth yw e?'

'Pryd traddodiadol o datws a *callaloo*,' atebodd Bil.

'Mae'n edrych fel cawl cennin,' meddai Jo.

'Wel, falle bo ti'n iawn,' meddai Bil, 'ond mae hwn yn fwy blasus. Tria fe.'

Bwytaodd y plant eu bwyd, oedd yn bryd blasus o gig mewn saws trwchus. Roedd Jo'n hoffi llysiau, felly gofynnodd am ragor o'r *callaloo*, oedd yn blasu fel sbigoglys.

Wrth iddyn nhw fwyta, cafodd Kalvin ei alw o'r bwrdd, ond daeth yn ôl bron yn syth.

'Ocê bobl, mae'n rhaid i ni fynd,' meddai. 'Allwch chi orffen hwnna mewn naw deg eiliad? Mae'n rhaid i ni fod yn ôl ar yr ynys cyn gynted â phosib, ac fe rodda i'r stwff yn ôl yn y car tra'ch bod chi'n bwyta.'

Wnaeth y pump ddim ffwdanu trafod y datblygiad diweddaraf hwn gan eu bod yn awyddus i fwyta cymaint â phosib o'r pryd bwyd cyn mynd 'nôl at yr un hen fwydlen yn yr academi.

Pam alwodd Kalvin nhw, codon nhw law ar y staff yn ddiolchgar a mynd i gefn y car.

'Beth sy'n bod, Kalvin?' gofynnodd Kim, wrth i'w car rasio i'r porthladd.

'Dw i ddim yn gwybod,' meddai. 'Ges i orchymyn i wneud yn siŵr eich bod chi'n cyrraedd 'nôl cyn gynted â phosib. Roedd Mererid yn swnio'n grac.'

Yn sgil y newyddion am hwyliau gwael Mererid roedd y siwrne 'nôl yn un dawel, ond teimlai'r pump ohonyn nhw ryw ryddhad o gyrraedd Cantre'r Gwaelod. Cymerodd Mererid Kalvin a Bil i'r naill ochr am sgwrs fer wrth i'r plant gyrraedd yr ynys.

'Ewch yn syth i'r neuadd ddarlithio,' gorchmynnodd.

Dilynodd y pump ci chyfarwyddiadau ac, ar ôl cyrraedd, eisteddon nhw yn eu cadeiriau arferol. Cawson nhw eu dilyn i'r ystafell gan Ross, y swyddog diogelwch, a Mererid, a arhosodd yn dawel am funud cyn i'r capten ymuno â nhw.

'Noswaith dda, a gobeithio i chi gael diwrnod da,' meddai Mererid. 'Ry'n ni wedi gorffen ein harchwiliad ac yn hyderus ein bod ni wedi dod i ddeall pam bod y drôn yn ein dilyn ni – ac ry'n ni'n credu bod hyn wedi bod yn digwydd ers i ni adael Bae Ceredigion.'

Camodd Ross ymlaen. 'Ry'n ni wedi dod o hyd i ddarn o dechnoleg sy'n anfon signal y gall y drôn ei ddilyn. Mae'n flin gen i ddweud hyn – ond un ohonoch chi ddaeth â'r darn hwn ar Gantre'r Gwaelod.'

Roedd y pum myfyriwr wedi eu syfrdanu, ond ar ôl rhai eiliadau, dechreuon nhw edrych ar ei gilydd, gan obeithio gweld golwg euog ar wyneb rhywun. Astudiodd yr oedolion wyneb pob un ohonyn nhw am yr un rheswm.

Ar ôl rhyw ddeg eiliad, dechreuodd Ross siarad eto.

'Byddwn ni'n cyfweld â phob un ohonoch chi ar wahân, yn eich tro, er mwyn i ni ddysgu gymaint ag y gallwn ni am hyn. Kim ac Ajit, ewch i'ch ystafelloedd. Craig, cer i'r ffreutur, a Jess, arhosa yn yr ystafell gyffredin. Jo, arhosa di ble'r wyt ti.'

Arhosodd Jo yn ei sedd wrth i'w ffrindiau adael, a chyn gynted ag yr oedd y pedwar wedi mynd, trodd Mererid ato.

'Jo, ni'n credu taw ti ddaeth â'r teclyn hwn ar yr ynys. Mae hyn wedi rhoi'r holl brosiect mewn perygl ac o bosib, holl waith a buddsoddiad Gwyddno. Efallai ei fod wedi rhoi ein bywydau ni mewn perygl. Beth sydd gen ti i'w ddweud?'

Gwgodd Jo wrth iddo ymladd yn erbyn y dagrau. Roedd yn grac ac yn ddryslyd.

'Dw i ddim yn gwybod beth i'w ddweud. Dw i ddim yn gwybod unrhyw beth amdano,' mynnodd.

'Wel, roedd e yn dy fag chwaraeon, wedi ei stwfflo i'r leinin ar y gwaelod,' meddai Ross. 'Roedd hi'n amhosib dod o hyd iddo heb ddefnyddio teclyn sganio.'

'Dw i ddim wedi gweld unrhyw beth fel 'na,' mynnodd Jo. 'Ges i'r bag yn anrheg ben-blwydd – Mam-gu brynodd e i fi.'

Cerddodd Mererid at Jo, ac eistedd wrth ei ochr.

'Jo, mae'n rhaid i ti ddweud popeth wrtha i

am y bag yma. Ble cafodd dy fam-gu'r bag? Ble wyt ti'n ei gadw pan wyt ti gartre?'

Atebodd Jo ei chwestiynau a cheisiodd feddwl am unrhyw beth arall allai fod o help.

'Pwy sydd wedi bod mewn cysylltiad â'r bag ers i ti gael gwahoddiad i ddod i'r academi?' gofynnodd y capten.

Oedodd Jo, a cheisio cofio'r cyfnod byr rhwng cwrdd â'r sgowt pêl-droed, Fry, a gadael y tŷ am Geinewydd. Dim ond Jo a'i rieni oedd wedi cyffwrdd yn y bag, roedd e'n siŵr o hynny.

'Paciodd Mam y bag, a chododd Dad y bag i mewn i fŵt y tacsi, a dyna ni ...'

Yna fe gofiodd rywbeth rhyfedd.

'Ond fe syrthies i i gysgu yn y tacsi. A deffro pan stopiodd y gyrrwr i brynu petrol. Ac fe gaeodd y bŵt. Ond pam oedd rhaid iddo agor y bŵt i brynu petrol?'

Edrychodd Mererid ar Ross.

'... A pham wnaeth e hyd yn oed stopio i nôl petrol? Cafodd yr holl yrwyr tacsi danc llawn o betrol a gorchymyn i beidio stopio ar y ffordd.'

Pennod 31

Roedd Jo'n teimlo rhyddhad mawr – roedd wedi bod yn poeni'n eithriadol ar un adeg eu bod yn mynd i'w ddiarddel o'r academi a'i daflu oddi ar yr ynys a gwneud iddo ddod o hyd i'w ffordd ei hun adref. Gofynnodd Ross, Mererid a'r capten ragor o gwestiynau iddo am y bag a'r daith i Fae Ceredigion, ond bellach roedden nhw'n daer i ddod o hyd i'r gyrrwr tacsi.

Pan oedden nhw wedi gorffen, galwon nhw ar y pedwar arall i ddychwelyd i'r neuadd ddarlithio.

'Ry'n ni nawr yn hapus nad yw unrhyw un ohonoch chi'n gyfrifol, er mai un ohonoch oedd yn cario'r teclyn heb i chi wybod. Ry'n ni wedi astudio'r peth a bellach ry'n ni'n gwybod ychydig bach mwy am y bobl sy'n ein dilyn ni.

'Ond yn gynta mae angen i ni adael Carriacou – mae gan Bil y teclyn, ac mae e'n mynd i ddod ag e 'nôl i Barbados ar y cwch erbyn heno, ac yna bydd e'n gallu ei guddio ar dancer olew sydd ar ei ffordd i orllewin Affrica. Gobeithio, erbyn iddyn nhw ddarganfod beth ry'n ni wedi ei wneud, y byddwn ni'n bell o'r fan hyn.'

Edrychodd Kim ar Jo mewn penbleth. Doedden nhw ddim wedi cyfweld â neb arall, felly mae'n rhaid mai Jo oedd yr un oedd yn cario'r teclyn, meddyliodd hi.

'Ble ni'n mynd?' gofynnodd.

Edrychodd Mererid ar y capten, ac amneidiodd arni hi.

'Mae angen i ni godi Deryck St Vincent,' meddai hi i'w hatgoffa. 'Felly ry'n ni wedi gofyn iddo hedfan i'r maes awyr agosaf i'r fan hyn, sydd yn Grenada. Bydd e'n cael cwch bach i gwrdd â ni.'

Gwenodd y capten. 'Mae'n rhaid i ni fod yna cyn iddi dywyllu, felly mae'n rhaid i ni gymryd y ffordd fwya uniongyrchol, sy'n golygu y byddwn yn hwylio dros losgfynydd byw sydd o dan y dŵr. Byddwch chi'n ddigon diogel achos mae'r llwybr yn ddigon llyfn ond gofalwch eich bod yn dal yn dynn pan glywch chi sŵn, sy'n digwydd bob munud neu ddau.'

Caniataodd Mererid i'r criw fynd i'r ystafell wylio i wylio'r llosgfynydd wrth iddyn nhw basio. Roedd yr agoriad ar ben y mynydd tanddwr ryw ddau gan metr o dan wyneb y dŵr felly roedden nhw'n gallu aros yn ddigon pell oddi wrtho. Roedden nhw'n gallu gweld swigod yn dianc ac yn symud heibio'r ffenest, ac wrth iddyn nhw hwylio heibio clywon nhw sŵn ac ysgydwodd yr môr i gyd am eiliad.

'Waw!' ebychodd Jess. 'O'dd hwnna'n cŵl.'

'Ydy e byth yn ffrwydro?' gofynnodd Kim.

'Bob hyn a hyn, dw i'n meddwl,' atebodd Mererid. 'Mae mor bell o dan y dŵr, wnaiff e ddim gormod o ddifrod – oni bai eich bod yn gwch sydd wrth ei ochr – ond fe allai greu sŵnami a fyddai'n beryglus i bobl ar yr ynysoedd agosaf.'

'A chrwbanod,' meddai Jess.

Parhaodd Cantre'r Gwaelod ar ei siwrne o dan y dŵr tan i'r capten gyhoeddi y byddai'n dod i'r wyneb cyn hir. Dilynodd y criw Mererid i lawr y grisiau i'r drws lle arhoson nhw i'r hyfforddwr newydd gyrraedd.

'Mae'r dyn hyn yn enwog iawn,' meddai Ajit. 'Roedd Dad yn siarad amdano drwy'r amser. Enillodd Gwpan y Byd gydag India'r Gorllewin, dw i'n meddwl. O'dd e'n arfer bowlio'n gyflym iawn.'

'Dw i'n siŵr ei fod yn dal iawn os yw e'n gallu bowlio'n gyflym,' meddai Craig.

Gwenodd Mererid. 'Ocê, ry'n ni wedi dod i'r

wyneb nawr, felly fe allwch chi fynd tu allan am awyr iach tra 'mod i'n croesawu Mr St Vincent ar y llong.'

Roedd hi bron â thywyllu a rhyfeddodd Jo at y machlud hyfryd oedd yn goleuo'r gorwel. Wrth y dŵr roedd Mererid yn helpu dyn o gwch tra bod perchennog y cwch yn rhyfeddu at yr olygfa anhygoel o'r ynys oedd newydd ymddangos allan o'r môr.

Brysiodd Ajit i lawr at yr ymwelydd newydd, gan gynnig helpu i gario ei fagiau, ond stopiodd yn ei unfan pan safodd yr hyfforddwr i fyny'n syth am y tro cyntaf.

'Falle nad hwn yw'r bowliwr talaf erioed ... ' sibrydodd Craig wrth Jo yn goeglyd.

Cerddodd Jess tuag at y grŵp ac aeth i ysgwyd llaw'r hyfforddwr.

'Croeso, Mr St Vincent, mae'n bleser cael cwrdd â chi,' gwenodd, gan blygu ymlaen ac edrych i fyw ei lygaid.

'Dw i'n falch i fod yma, bach, ond galwa fi'n Deryck,' gwenodd. 'Wyt ti'n un o fy sêr criced?'

'Na,' atebodd Jess, 'dw i'n fwy o athletwr, ond fe dria i unrhyw gamp.'

'Wel, da iawn,' atebodd Deryck, 'nawr beth am fynd i mewn cyn i'r haul ddiflannu?'

Pennod 32

Dros y dyddiau nesa daeth yr hyfforddwr newydd, oedd yn ddyn hapus iawn, yn ffefryn gyda'r pump. Dim ond Ajit a Jo oedd yn gwybod sut i chwarae criced felly roedd rhaid iddo egluro'r cwbl wrth y lleill, ond fe sicrhaodd fod y gwersi yn hwyl ac fe ddysgon nhw'n gyflym. Roedd yn gallu bod yn ddifrifol pan oedd eisiau, ac fe wellodd sgiliau criced Ajit yn fawr iawn.

Parhaon nhw â'u gwersi mathemateg, Saesneg a phynciau eraill yn ogystal â phêl-droed, rygbi, tennis ac athletau, y 'pynciau ffocws', fel roedd Mererid yn eu galw nhw. Sylwodd Jo ar welliannau mawr, nid yn unig yn ei ymdrechion wrth chwarae pêl-droed ond hefyd wrth gydchwarae gyda gweddill y grŵp.

'Dw i'n credu wna i droi at bêl-droed,' meddai Jess dros frecwast un bore. 'Mae'n deimlad grêt i sgorio gôl.'

'Wel, nid pawb sy'n cael cyfle i sgorio gôl ym mhob gêm,' gwenodd Jo. 'Fy ngwaith i gartre yw amddiffyn felly dw i'n gorfod stopio pobl rhag sgorio. Dy'n nhw byth yn gadael i fi hyd yn oed fynd i hanner y tîm arall o'r cae!'

'Mae hwnna siŵr o fod yn ddiflas,' atebodd Jess. 'Sgorio gôl yw'r unig beth dw i eisiau gwneud pan dw i'n chwarae pêl-droed.'

Chwarddodd Jo. 'Dyw hwnna ddim yn agwedd rhy wael, gan taw'r chwaraewyr mwya gwerthfawr fel arfer yw'r rhai sy'n gallu sgorio'r mwya o goliau. Ond bydde well gen i fod yn chwaraewr ganol y cae, yn arwain y tîm ac yn chwarae rhan wrth ymosod ac amddiffyn. Mae'r athro'n dweud ei fod eisiau fy ngweld i'n chwarae yn fan'na.'

'Ni'n neud llawer o bêl-droed ar hyn o bryd,' ochneidiodd Kim. 'Dw i'n hoffi'r gêm ond dw i'n edrych ymlaen at chwarae rygbi.'

Roedd Mererid wedi bod yn aros am ei bwyd y tu ôl iddyn nhw, ond pan oedd hi'n barod eisteddodd i lawr wrth ochr Kim a siarad gyda'r grŵp.

'Wel ... dw i'n ymddiheuro am wrando arnoch chi, ond o'n i'n mynd i siarad gyda chi am hyn yn nes ymlaen,' meddai. 'Ry'n ni'n mynd i ganolbwyntio'n llwyr ar bêl-droed am y pedair wythnos nesa.'

'Pam?' gofynnodd Kim. 'O'n i'n meddwl ein bod ni'n canolbwyntio ar nifer o chwaraeon gwahanol y tymor hwn?'

‘Ti’n iawn,’ atebodd Mererid, ‘ond ry’n ni wedi bod mewn cysylltiad â Gwyddno ac mae e wedi rhoi cyfarwyddiadau newydd i ni. Chi’n gwybod bod Gwyddno yn ddyn cyfoethog iawn ac mai ei weledigaeth e am gael academi chwaraeon ar hen ynys Cantre’r Gwaelod sydd wedi dod â ni i gyd at ein gilydd.

‘Wel, pan wnaeth e’r penderfyniad doedd e ddim ar ei ben ei hun. Roedd ei frawd, Gwilym, wedi dod i weithio iddo a chafodd e ei roi yng ngofal rheoli’r academi yn y blynyddoedd cynnar.

‘Ond roedd Gwilym yn ddiog ac eisiau canlyniadau dros nos. Yn lle gweithio’n hirdymor ar faeth ac ymarferion er mwyn datblygu cyrff ifanc, fel ry’n ni’n ei wneud fan hyn, roedd e’n chwilio am ffyrdd cyflym o wneud pethau ac roedd hynny’n drychinebus.

‘Cafodd rhai o’n myfyrwyr ni anafiadau na ddylen nhw fod wedi eu cael, a chollodd rhai gormod o bwysau yn rhy gyflym, a all fod yn beryglus iawn. Ond ei bechod fwya oedd chwilio am ffyrdd cemegol o wneud i’r plant redeg yn gyflymach, neu ddod o hyd i gryfder a phŵer. Ffyrdd anghyfreithlon. Unwaith y doth Gwyddno i wybod am hyn, cafodd Gwilym ei ddiswyddo yn syth a’i anfon o’r ynys.

'Yn anffodus, cyn iddo adael, llwyddodd i ddwyn y cynllun oedd gan Gwyddno ar gyfer yr ynys a'r academi. Ers hynny mae e wedi ymuno â dyn o'r enw Kratos, perchennog un o gwmnïau offer chwaraeon mwya'r byd, ac mae'r ddau wedi adeiladu eu hacademi chwaraeon eu hunain.

'Cysylltodd Gwyddno a Gwilym â'i gilydd eto'r llynedd a dechrau adfer eu perthynas – maen nhw'n frodyr wedi'r cwbl ac mae'r ddau yn mynd yn hŷn. Dywedodd Gwilym wrtho am ei academi chwaraeon e, gan frolio am yr holl lwyddiannau y mae wedi eu cael.

'Dechreuodd Gwyddno fynd yn grac a'i herio i gystadleuaeth i weld dulliau pwy sydd orau. Chwarddodd Gwilym am ei ben a dweud y byddai'n cytuno os byddai'n fodlon gamblo Cantre'r Gwaelod fel rhan o fet yn erbyn ei academi e, y mae'n ei galw'n Gwales.'

'Felly ... beth mae hynny'n ei olygu i ni?' gofynnodd Jo.

'Mae'n golygu y byddwn ni'n treulio'r pedair wythnos nesa yn eich gwneud chi'n chwaraewyr pêl-droed penigamp, achos os na enillwch chi eich gêm nesa, byddwn ni'n colli mwy na thlws.'

'Beth fyddwn ni'n colli?' gofynnodd Ajit.

'Yr academi ... popeth ...' gwgodd Mererid. 'Mae Gwyddno wedi penderfynu betio Cantre'r Gwaelod ar eich gêm nesa o bêl-droed.'

Pennod 33

Edrychodd Jo ar Kim, Edrychodd Jess ar Ajit, ac edrychodd Craig ar y llawr.

'Chi o ddifri?' gofynnodd Kim.

'Mae'r rhan fwya ohonon ni'n ddechreuwyr mewn pêl-droed, a dim ond Jo sydd wedi chwarae o ddifri o'r blaen,' meddai Ajit.

'A dw i ddim yn dda. Dyna pam ddewisoch chi fi,' ychwanegodd Jo.

'Curodd dau hen ddyn ni yn yr unig gêm ry'n ni wedi ei chwarae erioed,' meddai Jess.

Cododd Mererid ei llaw i'w tawelu.

'Dw i'n gwybod, dw i'n gwybod, a dw i'n deall eich pryder. Bydd neb yn eich beio chi os byddwn ni'n colli'r gêm ac yn colli Cantre'r Gwaelod. Ond ry'n ni'n dal i gredu ynoch chi; a dweud y gwir mae'r Athro Kossuth wedi bod yn chwerthin am yr her ac yn credu y gall eich troi chi'n bencampwyr byd yn y pedair wythnos sy'n weddill.'

'Pencampwyr byd?' chwarddodd Craig. 'Dwli llwyr. Ble ydyn ni'n stopio nesa?' gofynnodd. 'Hoffwn i fynd adre.'

Syllodd Mererid ar Craig. O'r ffordd y

gwthiodd ei chyllell i mewn i ddarn o felon, roedd yn amlwg nad oedd hi'n hapus.

'Fyddi di ddim yn mynd adre, ddim am bedair blynedd arall,' meddai. 'Dyna beth sydd yn y cytundeb wnaeth dy rieni ei arwyddo ar dy ran. Ac am hynny, rwyt ti'n derbyn addysg ardderchog a'r hyfforddiant gorau, a bwyd a llety am ddim am bedair blynedd.

'Ar ôl i chi gyd adael fan hyn byddwch chi'n gallu elwa o'n rhaglen i raddedigion, a fydd yn gofalu am eich holl anghenion addysgol yn ogystal ag unrhyw gymorth o ran ffitrwydd a gofal meddygol.

'Dw i eisiau bod yn glir – peidiwch am funud â meddwl y byddwn yn gadael i'n buddsoddiad anferthol ynddoch chi a'ch dyfodol ddiflannu. Ry'ch chi'n aros – pob un ohonoch chi,' mynnodd gan edrych i lygaid pob un ohonyn nhw yn eu tro.

Gyda hynny, cododd a mynd allan o'r ystafell.

Roedd y pump yn gegrwth, ac ni ddywedodd neb unrhyw beth am bron i funud.

'Ydy hynny'n golygu ein bod ni'n garcharorion yma?' gofynnodd Jess.

'Neu'n gaethweision,' cwynodd Craig.

Edrychodd Jo a Kim ar ei gilydd.

'Nid dyna beth yw'r lle 'ma, Craig,' meddai Jo. 'Mae hwn yn gyfle gwych i ni – does gen i ddim cynlluniau i fynd 'nôl i chwarae fel cefnwr i dîm bach, a hyfforddi yn y glaw cyn mynd adre i wneud fy ngwaith cartre a gwylio sioeau talent ar y teledu.'

'Na fi,' cytunodd Kim. 'Mae'r lle 'ma'n ddiflas ar adegau, ac maen nhw'n ein gweithio ni'n galed iawn, ond mae'n rhaid i chi sylweddoli bod hwn yn gyfle anhygoel i ni i gyd.'

Rhoddodd Ajit hanner gwên. 'Beth sydd gyda ni i'w golli, tybed? Allwn ni ddim siomi Gwyddno a Mererid a Kalvin. Mae'n rhaid i ni fynd allan a chwarae er eu mwyn nhw, ac Angela a Fry a Ross, a phawb arall sy'n gweithio yma.'

Doedd Craig ddim mor siŵr. 'Falle. Ond mae'r cwbl yn rhyfedd. Dylen ni ddim bod o dan y straen hyn, ddim ond am fod Gwyddno wedi bod yn gamblo.'

Amneidiodd Kim. 'Ti'n iawn, Craig, ond nawr bydd yn rhaid i ni weithio'n galetach a dysgu gymaint ag y gallwn ni. Os oes unrhyw un yma all ein ddysgu, a chreu cynllun da, yr Athro Kossuth yw hwnnw.'

Roedd hwyliau da ar yr athro pan ddaeth i mewn i'r dosbarth. Roedd gwên fawr ar ei wyneb ac roedd yn cario rhwyd yn llawn o beli.

'Bore da, bawb. Mae'n rhaid i fi ddweud fy mod i'n awchu am y cyfle hwn, nawr ein bod yn canolbwyntio ar y gêm fawr yma sydd ar y gweill.'

Gwenodd a chymryd bwndel o bapurau o'i fag.

'Dw i wedi bod yn astudio'ch rhifau a'ch ystadegau perfformio chi a dw i wedi gweld nifer o bethau sydd o ddiddordeb mawr i mi, all egluro pam y cawsoch chi eich dewis yn y lle cynta ar gyfer yr academi hon. Er enghraifft, Ajit, pryd mae dy ben-blwydd?'

'Ionawr y 5ed,' atebodd.

'Jo?'

'Ionawr yr 8fed.'

'Kim?'

'Ionawr y 19eg.'

Datgelodd Jess bod ei phen-blwydd hi ar Chwefror y 10fed, ac roedd Craig wedi ei eni ar Fawrth y 7fed.

'Pam ydych chi'n credu bod eich penblwyddi'n digwydd yn ystod deg wythnos gynta'r flwyddyn y cawsoch chi'ch geni?' gofynnodd yr athro.

Doedd dim syniad gan y plant.

Eglurodd yr Athro Kossuth. 'Achos bod bron pob math o chwaraeon i bobl ifanc wedi eu trefnu ar sail oed. Mae plant sydd wedi eu geni yn Ionawr a'r rhai sydd wedi eu geni yn Rhagfyr yn cael eu taflu gyda'i gilydd. Ond mae plentyn mis Ionawr bron flwyddyn yn hŷn, sy'n golygu eu bod yn gyffredinol yn fwy, yn gyflymach ac mae ganddyn nhw sgiliau corfforol gwell.

'Mae rhai astudiaethau yn Norwy yn dangos bod hanner cant y cant o sêr byd y campau wedi eu geni rhwng Ionawr a Mawrth, a thri deg y cant arall rhwng Ebrill a Mehefin. Felly, mae plant sydd wedi eu geni yn hanner gynta'r flwyddyn bedair gwaith yn fwy tebygol o lwyddo mewn chwaraeon na phlant sydd wedi eu geni ddiwedd yr haf neu yn yr hydref.

'Pam, meddech chi? Os ydych chi'n fwy ac yn gyflymach na'ch cyd-chwaraewyr, byddwch chi'n sefyll allan ac felly yn cael mwy o gyfleoedd i ddisgleirio, a chael cyfleoedd i chwarae ar lefel uwch neu gael eich dewis am ragor o hyfforddiant. Mae hyn wrth gwrs, yn gwneud pethau'n waeth i blant llai, yn anffodus.

'Dw i'n siŵr bod Mererid a'i thîm wedi cymryd sylw o'ch penblwyddi wrth ddewis pwy i'w wahodd i fynd ar yr antur hon.'

Gwthiodd yr athro fotwm a syrthiodd pum rhaff o'r nenfwd, a phob un yn sownd wrth rwyd maint pêl.

'Rhowch eich pêl yn y bag,' meddai wrthyn nhw. 'Nawr, efallai bod hyn yn edrych fel rhyw fath o fag pwnio ond dw i'n ei alw'n fag penio. Wna i ddangos y dechneg orau i benio pêl a gallwch chi fy nghopïo i. Dw i ddim eisiau i chi ailadrodd hyn yn rhy aml gan nad ydw i'n credu y byddai hynny'n dda i chi – wna i roi pêl sbwng i chi i ymarfer – ond mae penio'n sgil bwysig ac mae'n rhaid i chi ddysgu sut i'w wneud yn effeithiol ac yn ddiogel.

'Yn gynta, yr unig ran o'ch pen y dylech chi ei defnyddio yw'r talcen, yn ail mae'n rhaid i chi gau eich ceg ac yn drydydd, cadwch eich llygaid ar agor bob amser. Cyfarwyddiadau syml yw'r rhain, ond byddech chi'n synnu faint o chwaraewyr hŷn a phroffesiynol sy'n methu gwneud y tri pheth hyn ar yr un pryd. Dylwch chi hefyd warchod eich gwddf achos mae hi'n bwysig eich bod yn gwarchod eich hun rhag yr ergyd.'

Treuliodd yr athro hanner awr yn gadael i'r pump ymarfer gyda pheli sbwng, ac yna gyda pheli plastig ysgafn, cyn addasu'r bagiau penio fel eu bod ar yr un lefel â phen pob chwaraewr. Daeth hi'n amlwg bod gan Ajit gyhyrau gwddf cryf ac fe oedd y fwyaf cywir wrth fwrw gyda'i dalcen. Yna addasodd yr athro'r uchder fel bod rhaid i bob un neidio ychydig i benio'r bêl.

Roedd yr ymarfer yn llai diflas nag yr oedd Jo wedi ei ddisgwyl ac fe fwynhaodd daro'r bêl gyda'i ben. Cyfaddefodd i'r grŵp ei fod ddim ond wedi penio'r bêl unwaith yn y saith gêm yr oedd wedi ei chwarae'r tymor hwnnw am ei fod yn poeni am gael niwed.

Ar ôl ychydig o amser galwodd yr athro arnyn nhw i roi'r gorau i benio'r bêl a chwaraeodd fideo iddyn nhw o rai o'r chwaraewyr gorau yn sgorio ac yn ennill drwy ddefnyddio'u pennau.

'Edrychwch ar Cristiano Ronaldo, chwaraewr talentog iawn gyda'i draed, ond dw i ddim yn meddwl fy mod i wedi gweld neb yn ymosod yn well gyda'i ben,' meddai Kossuth yn llawn edmygedd. 'Edrychwch ar y ffordd mae'n neidio, a bron yn hongian yn yr awyr, cyn iddo daro'r bêl gyda'i dalcen tuag at y gôl.'

Roedd y pump yn rhyfeddu at y symudiad a siaradon nhw am rai o'r chwaraewyr da yr oedden nhw wedi eu gweld.

'Dywedodd Ronaldo rywbeth call iawn,

rhywbeth y dylech chi i gyd ei gofio,' gwenodd yr athro. 'Gofynnodd rhywun iddo fe beth oedd yn gwneud chwaraewr pêl-droed gwych ac atebodd e, "Mae talent yn bwysig – ond nid dyna'r prif beth."

'Aeth e ymlaen i egluro sut mae angen i chwaraewyr ddysgu'r gêm, ei deall a gweithio ar eu talent. Ochr arall i hynny yw bod chwaraewyr sydd heb dalent yn dal i allu gwella yn y gamp drwy weithio'n galed a dysgu gan y meistri. A dyna lle rydych chi blant yn lwcus iawn, achos dw i'n feistr.'

Pennod 34

Roedd Jo wrth ei fodd bod yr holl ddosbarthiadau chwaraeon bellach yn canolbwyntio ar bêl-droed, ac roedd hyd yn oed yn fwy balch bod nifer y gwersi yn y pynciau eraill wedi eu cwtogi i ddwy awr y dydd yn unig.

'Bydd rhaid i ni sicrhau eich bod yn dal i fyny â'r dosbarthiadau ar ôl y gêm fawr,' meddai Mererid, 'ond byddwn ni'n gallu cyflwyno ychydig o fathemateg, gwyddoniaeth, daearyddiaeth – hyd yn oed hanes – i'ch gwersi pêl-droed.

'Ond heddiw, dw i wedi gwahodd Mr St Vincent i ymuno â ni, a bydd e'n siarad â chi am un o'r pethau pwysica o ran criced, rhywbeth sydd hefyd yn hanfodol i fod yn bêl-droediwr go iawn. Ond wna i adael iddo egluro.'

Cerddodd y dyn byr i mewn ac eistedd ar ochr bwrdd mawr oedd ar waelod yr ystafell. Gwenodd Craig ac Ajit ar ei gilydd wrth i goesau byr yr hyfforddwr hongian uwch ben y llawr.

'Penderfyniadau mawr,' gwenodd. 'Roedd rhaid i fi wneud miloedd ohonyn nhw ym mhob gêm chwaraeais i erioed. Mae gwneud penderfyniadau da yn allweddol i fod yn gricedwr da.

'Fel batiwr, mae hyd yn oed angen i chi benderfynu sut a lle yn union yr ydych yn mynd i sefyll. Mae angen i chi wneud penderfyniadau ar sail sut mae'r bowliwr yn dal y bêl, o ble mae'n ei thaflu, ble a pha mor uchel y mae'n bownsio, yr ongl y mae'n dod atoch chi, ac yna mae'n rhaid i chi benderfynu lle chi eisiau bwrw'r bêl, a ph'un ai i amddiffyn neu ymosod. Ac mae nifer fawr o ffactorau eraill yn bwysig, fel lle mae'r maeswyr yn sefyll, y gwynt a'r pellter at y rhaff. Ac yna mae'n rhaid i chi benderfynu a ddylech redeg neu beidio, a sawl gwaith i wneud hynny.

'Ac ... mae'n rhaid i chi benderfynu ar yr holl bethau hyn mewn llai na hanner eiliad. Gall amheuon am unrhyw un o'r penderfyniadau hyn fod yn ddiwedd y byd, yn nhermau criced, ac yna rydych yn colli eich wiced.

'Wrth gwrs, mae nifer o'r penderfyniadau hyn yn seiliedig ar brofiad, ar flynyddoedd o baratoi at y foment honno fel bod eich greddf yn cymryd drosodd, ac rydych yn gwybod beth yn union i'w wneud heb orfod meddwl amdano.

'Mae'r un peth yn wir am bêl-droed, ond

mae'n rhaid i fi gyfadde nad o'n i byth yn dda iawn yn y gêm. Ond fe wnes i redeg gyda'r bêl un tro rhwng coesau amddiffynnwr canol cae tal iawn,' chwarddodd.

'Er mwyn gwella fel pêl-droedwyr, mae'n rhaid i chi fod yn ymwybodol o'r penderfyniadau y mae'n rhaid i chi eu gwneud a sut y gallan nhw effeithio ar eich tîm. Mae pêl-droed yn gêm haws na chriced a bydd yr ystod o opsiynau yn llai. Dychmygwch fod y bêl wrth eich traed – ydych chi'n pasio? At bwy ydych chi'n pasio, i'r chwith neu i'r dde, yn fyr neu'n hir? Ydych chi'n rhedeg gyda'r bêl heibio eich gwrthwynebydd? Pryd ydych chi'n ceisio sgorio?

'Gall gemau cyfan fod yn ddibynnol arnoch chi'n gwneud y penderfyniad iawn, a'r pêl-droedwyr gorau yw'r rhai nad ydyn nhw'n ofn gwneud y penderfyniadau hynny.

'Byddwn ni'n gweithio ar ddangos i chi pryd a sut y mae'r eiliadau allweddol hyn yn codi a sut y dylech chi ymateb. Bydd yn golygu treulio ychydig o amser fan hyn yn gwylio fideos, ond llawer mwy o amser y tu allan gyda'r athro a'r bêl.'

'Ble ydyn ni ar hyn o bryd?' gofynnodd Kim.

Camodd Mererid ymlaen. 'Cwestiwn da, Kim,

achos ry'n ni'n agos at arfordir De America, ger gwlad o'r enw Guyana. Byddwn ni'n gallu dod i'r wyneb cyn hir, ac ymarfer am wythnos neu ddwy cyn i ni fynd am ein cyrchfan derfynol ar yr arfordir.'

'Ble?' gofynnodd Craig.

'Wel, lle ti'n disgwyl i'r gêm bêl-droed bwysica yn hanes yr academi gael ei chwarae? Ry'n ni'n mynd i gartre'r gêm, y wlad bêl-droed fwya enwog yn y byd ...'

Pennod 35

Roedd yr haul yn uchel yn yr awyr pan ddaeth yr ynys i'r wyneb, ac roedd y pelydrau mor gryf nes y gallai fod wedi dallu'r plant pe na bai Mererid wedi rhoi pâr o sbectol haul iddyn nhw. Roedd gan bob sbectol lastig er mwyn eu rhwystro rhag syrthio i ffwrdd, a oedd yn beth da gan fod Jo'n syrthio o hyd.

'Sori, athro,' gwenodd, 'dw i'n meddwl bod angen styds hirach ar fy esgidiau. Mae'r ddaear yn fwy meddal nag arfer.' Aeth ar ei gwrcwd a gwthio'i fawd i mewn i'r gwair ffug.

Gwgodd Kalvin a mynd at ei declyn rheoli. 'Ie, falle dy fod ti'n iawn – ond galla i newid pethau,' meddai wrth wasgu botwm.

Sylwodd Jo ar ei fawd yn cael ei chodi o'r gwair wrth i'r ddaear sychu o fewn eiliadau. Roedd yn dal i synnu bob munud at ryfeddodau Cantre'r Gwaelod.

'Edrych ar hwnna,' meddai Ajit, gan bwyntio at aderyn mawr oedd yn hofran yn ôl ac ymlaen ar draws yr ynys, cyn aros ar ben y ffens uchel oedd yn rhwystro peli rhag syrthio i mewn i'r môr.

'Bwbi Brown yw hwnna,' meddai Jess, cyn cochi. 'Ie, dw i'n gwybod gormod am adar, yn enwedig adar y môr. Maen nhw'n perthyn i'r huganod ry'n ni'n eu gweld gartre.'

'Diddorol iawn,' meddai'r athro, 'nawr beth am droi 'nôl at beth roedden ni'n ei drafod a chroesawu eich hyfforddwyr pêl-droed newydd.'

Ymunodd Catrin â'r meistr pêl-droed. Roedd hi wedi bod yn dysgu sgiliau trac a chae iddyn nhw, yn ogystal â Deryck St Vincent. Daeth Fry, y sgowt a wahoddodd Jo yn y lle cyntaf, i ymuno â'r staff hyfforddi hefyd.

Dechreuodd yr athro siarad. 'Reit, yr hyn fydd yn digwydd nawr – a phob bore cyn y gêm – yw bod pob un ohonoch chi'n treulio awr gyda phob un ohonon ni yn unigol, yn dysgu symud a sgiliau eraill sy'n benodol ar gyfer pêl-droed. Mae pob un o'r hyfforddwyr wedi cael gwybodaeth am eich talent benodol chi a'r hyn sydd angen i chi weithio arno er mwyn eich troi chi'n bêl-droedwyr ardderchog. Bydd gweddill y bore, a'r prynhawn i gyd, yn cael ei dreulio ar chwarae gêm, a bydd awr i dawelu wrth i ni adolygu'r hyn ry'n ni wedi ei ddysgu. 'Unrhyw gwestiynau?'

'Oes, mae gen i un,' meddai Craig. 'Mae

pedwar hyfforddwr ond mae pump ohonon ni, on'd oes?'

'Ie, sori,' meddai'r athro. 'Mae un person arall ar staff yr academi oedd yn arfer bod yn bêl-droediwr o'r radd flaenaf – wnaeth e chwarae i Gynghrair y Pencampwyr i'w glwb cyn i anaf ddod â'i yrfa i ben. Mae e wedi bod yma ers blynyddoedd a dw i'n eich sicrhau chi ei fod e'n gwybod mwy am y grefft o amddiffyn gôl nag unrhyw un dw i wedi cwrdd â nhw erioed.

'Craig, fyddi di'n gweithio gyda Kalvin.'

Agorodd Craig ei geg, ond daeth dim geiriau ohoni.

Camodd y cawr o ddyn ymlaen, dal ei ddwylo allan a chwerthin yn uchel. 'Rhain yw'r dwylo wnaeth rwystro Bayern Munich am naw deg munud, a Manchester United hefyd. Fe wnaf i fy ngorau i sicrhau eich bod yn atal popeth y gall Gwales ei daflu atoch chi.'

Cymerodd bob un o'r oedolion un o'r plant i gornel wahanol o'r cae, tra bod Kalvin a Craig yn anelu am ardal y gôl.

Roedd hi'n waith caled i'r plant, yn enwedig y rheini nad oedden nhw wedi cael unrhyw hyfforddiant blaenorol mewn pêl-droed, ond ddysgon nhw'n gyflym ac roedd yr athro wrth ei fodd â'u datblygiad nhw, a dywedodd e hynny wrthyn nhw yn y sesiwn adolygu ar ddiwedd y prynhawn.

'Chi i gyd yn mynd i fod yn bêl-droedwyr da. Efallai y bydd un neu ddau ohonoch chi'n bêl-droedwyr ardderchog. Ond os wnewch chi weithio mor galed a dysgu mor gyflym ag y gwnaethoch chi heddiw, yna dw i'n credu y bydd tîm Kratos a Gwilym yn ildio erbyn hanner amser.'

Gan nad oedd unrhyw waith cartref ganddyn nhw, rhoddodd Mererid noson i ffwrdd iddyn nhw a threfnu eu bod yn gweld y ffilm ddiweddara yn sinema Cantre'r Gwaelod. Wrth iddo gnoi popcorn, edrychodd Jo ar ei gyd-chwaraewyr – roedd Jess eisoes yn cysgu ac roedd Ajit yn edrych fel pe bai ei lygaid bron â chau. Roedd Craig yn canolbwyntio'n galed ar y ffilm. Roedd Kim yn edrych fel pe bai hi'n mwynhau hefyd ond roedd hi'n chwerthin ar y darnau nad oedden nhw i fod yn ddoniol.

'Ydyn ni fod i gymryd hyn o ddifri?' chwarddodd ar Jo oedd yn eistedd wrth ei hymyl hi.

'Dw i ddim yn gwybod, dw i'n ei chael hi'n anodd canolbwyntio,' cyfaddefodd.

'Edrych ar y bois yna mewn leotards – pa heddlu neu fyddin fyddai'n gwisgo leotard i ymladd gelynion? Pam fod pob archarwr yn teimlo rheidrwydd i wisgo rhywbeth sy'n gwneud i chi deimlo fel tasech chi'n gwisgo braidd dim byd?'

'Dw i ddim yn gwybod,' meddai Jo. 'Dw i ddim yn meddwl yn rhy galed am y pethau hyn, i fod yn onest. Mae e jyst yn rhywbeth i'w wylio wrth i ni ymlacio.'

'Wel, dw i ddim yn teimlo 'mod i'n ymlacio,' meddai Kim. 'Dw i'n teimlo'n ddiflas. Ti eisiau dod am dro?'

'I ble?' holodd Jo. 'Allwn ni ddim mynd tu allan, a dw i wedi bod lawr y coridor yna o leia ddau gant o weithiau erbyn hyn.'

'Dilyn fi, mae gen i syniad,' atebodd Kim, gan fynd o'r sinema fechan.

Arweiniodd Jo i'r ystafell ymarfer a gwasgu botymau ar y panel rheoli. Cododd dau beiriant cerdded o'r llawr.

'Ocê, nawr mae'n rhaid i ti ddefnyddio dy ddychymyg ond os wna i droi rhai o'r efelychwyr cwrs golff ymlaen ...'

Pwysodd orchymyn i'r cyfrifiadur a throdd y waliau yn sydyn o fod yn wyn i fod yn wyrdd.

‘Ry’n ni yma nawr yn Augusta National, lle maen nhw’n chwarae pencampwriaeth y Meistri. Mae’n gwrs hyfryd a gallwn ni fynd am dro ac edrych ar yr olygfa hardd,’ gwenodd.

Chwarddodd Jo. ‘Felly, ni’n cael noson rydd a dy syniad di o hwyl yw mynd yn ôl ar y peiriannau ymarfer corff ac astudio cwrs golff. Galla i weld pam fod pawb yn credu mai ti fydd y seren enwoca ohonon ni i gyd.’

Gwgodd Kim. ‘Ydy pobl yn dweud hynny? O’n i jyst isie newid bach. Gallwn ni ddiffodd y peiriannau ymarfer corff, o’n i jyst yn meddwl y bydden nhw’n gwneud i ni feddwl ein bod ni’n mynd am dro.’

‘Na, na,’ meddai Jo, ‘awn ni am dro o gwmpas Augusta. Nawr, dangosa i fi lle mae’r man maen nhw’n galw’n Amen Corner.’

Pennod 36

Treuliodd y tîm wythnos yn ymarfer yn yr awyr agored tan i Mererid ddweud wrthyn nhw, un bore dros frecwast, fod angen iddyn nhw symud yr ynys unwaith eto.

'Byddwn ni'n gadael unwaith i'r haul ddechrau machlud, felly gwnewch gymaint o ymarfer ag y gallwch chi, achos mae'n annhebygol y byddwn ni'n dod i'r wyneb fory.'

Penderfynodd yr athro ailchwarae'r gêm gyntaf yr oedd y plant wedi ei chwarae erioed gyda'i gilydd – yn ei erbyn e a Kalvin. Y tro hwn, roedd hi'n stori hollol wahanol ac roedd y canlyniad yn wahanol hefyd. Roedd y pump ar yr un donfedd â'u cyd-chwaraewyr, ac roedd lefel eu sgiliau wedi codi nes eu bod yn gallu pasio yn llawer mwy cywir, ac roedd Jess yn gallu sgorio'n dda iawn.

Roedd Kalvin yn dal yn anodd ei guro yn y gôl, ond llwyddodd Jess i sgorio ddwy waith ac roedd Craig ar dân ar y pen arall felly daeth y gêm i ben yn gyfartal.

'Nawr, dyna gêm wych, a gwelliant anhygoel gan bob un ohonoch chi,' gwenodd yr athro.

Aeth y plant i fyny'r allt at y bwthyn. Oedodd Jess i ddweud hwyl fawr wrth yr aderyn. Yr oedd hi wedi ei alw'n Bob ac yn ei ystyried yn dipyn o anifail anwes erbyn hyn.

'Ble aiff e nawr?' gofynnodd.

'Wel, oni bai bod snorcel ganddo, bydd e ddim eisiau aros ar y ffens yna,' chwarddodd Ajit.

'Well iddo fe fynd nawr,' meddai Kalvin. 'Dw i'n gorfod gwthio'r ffens 'nôl dan y ddaear er mwyn paratoi i fynd o dan y dŵr,' gan glicio botwm ar y peiriant a wnaeth i'r pyst ddiflannu.

'Allwn ni fynd lawn llofft i'r ystafell wylio i weld yr ynys yn mynd o dan y dŵr?' gofynnodd Jo. 'Fydden i wrth fy modd yn gweld sut mae'n edrych.'

Edrychodd Mererid ar Kalvin. 'Iawn, os yw Kalvin yn cytuno i ddod â chi, ac os ydych chi'n cytuno aros yn yr ystafell, eistedd a dal yn dynn, fe gewch chi fynd yna. Wela i chi lawr llawr i gael swper yn nes ymlaen.'

Wedi i Kalvin sicrhau bod rhan yr ynys oedd uwch ben y dŵr yn barod i fynd oddi tano, arweiniodd y plant i'r ystafell wylio ar y llawr uchaf. Eisteddon nhw ac aros am yr arwydd gan y capten. Syllodd Jo drwy'r ffenest wrth i'r haul ddechrau suddo o dan y gorwel ac wrth i'r peiriannau oedd yn gyrru'r ynys danio.

'Pawb yn barod i blymio?' daeth yr alwad dros yr uchelseinydd.

Wrth i'r ynys suddo'n araf o dan y tonnau, rhyfeddodd y plant o weld y machlud yn codi'n uwch yn yr awyr.

'Dyna Bob,' ebychodd Jess, wrth i'r aderyn hedfan heibio'r ffenestri gan droi ei ben wrth basio.

'Ych, mae ei lygaid yn goch,' meddai Craig. 'Ydy hwnna'n naturiol?'

'Dw i ddim yn gwybod,' gwgodd Jess, 'falle taw'r machlud sy'n disgleirio arnyn nhw?'

'Does dim angen poeni am hynny nawr,' meddai Kalvin, 'daliwch yn dynn, ni'n mynd o dan y dŵr ...'

A suddodd yr ynys o dan y dŵr gan adael dim ar yr wyneb i ddangos eu bod wedi bod yno heblaw am ambell bluen frown.

Pennod 37

Treuliodd y plant y diwrnod canlynol yn gweithio gyda'r athro ar dactegau'r gêm, gan gynllunio pwy fyddai'n mynd i safle pa chwaraewr pe bai rhywun yn cael ei dynnu o'r gêm am gyfnod byr. Awgrymodd hefyd rai newidiadau i'w trefn ymosod, ond gadawodd Jo i benderfynu lle a phryd y bydden nhw'n cael eu defnyddio.

'Cofiwch, fydda i ddim allan ar y cae gyda chi. Byddwch chi'n fy nghlywed i'n gweiddi cyfarwyddiadau nawr ac yn y man ond dw i ddim yn rhy hoff o hyfforddwyr sy'n ceisio rheoli'r gêm o ochr y cae. Mae'n well gen i roi'r holl wybodaeth a'r sgiliau sydd eu hangen arnoch chi ac yna gadael i chi wneud eich penderfyniadau eich hunain fel chwaraewyr ar y cae.

'Mae ein cynllun hyfforddi wedi gweithio'n dda a dw i'n hyderus y byddwch chi'n gallu gwrthsefyll y rhan fwya o wrthwynebwyr – yn sicr, unrhyw dîm y bydd Gwales yn ei roi at ei gilydd mor hwyr â hyn yn y dydd.'

Galwodd Mererid i'w gweld amser swper ac

ar ôl cael 'chwaneg o bwdin, dywedodd wrthyn nhw eu bod yn cael siarad â'u teuluoedd ar fideo.

Roedd hi mor hir ers i Jo weld ei rieni nes ei fod yn dyfalu a oedd e'n edrych yn wahanol o gwbl. Doedd dim barbwr na siop trin gwallt ar yr ynys, felly roedd ei wallt yn dechrau tyfu heibio'r coler pan wisgai grys polo. Efallai y byddai'n ei dyfu fel un o'r chwaraewyr Ffrengig.

Cafodd y plant orchymyn i beidio siarad am eu lleoliad ar hyn o bryd na lle ro'n nhw wedi bod ar y daith, ac yn sicr doedden nhw ddim i fod i ddweud wrth eu rhieni fod Gwyddno wedi gosod yr ynys fel bet gyda'i frawd.

'Ti'n edrych yn denau,' meddai mam Jo. 'Ydyn nhw'n dy fwydo di?'

'Ni'n cael llawer o fwyd, bwyd neis iawn,' mynnodd Jo. 'Ond ni'n rhedeg dipyn hefyd. Dw i'n teimlo'n grêt.'

'Gobeithio nad yw'r holl gampau'n effeithio ar dy astudiaethau di,' meddai ei dad.

'Wel ... ni wedi bod yn gwneud llai yn ystod yr wythnosau diwetha,' cyfaddefodd Jo, 'ond wir, ni'n gneud digon o waith ysgol. Dw i wedi dysgu llawer mwy nag y bydden i yn y tŷ – dim ond pump ohonon ni sydd yn y dosbarth.'

Roedd ei dad hefyd yn awyddus i wybod lle roedd e, ond dywedodd Jo nad oedd hawl ganddo ddweud. Doedden nhw ddim hyd yn oed yn gwybod eu bod ar ynys o dan y dŵr – ond efallai bod hynny'n beth da.

Dywedodd ei rieni wrtho nad oedd ei dîm cartref wedi bod yn gwneud yn dda ond bod sôn bod sgowt o Ddinas Caerdydd wedi bod draw i weld Robbie'n chwarae.

Roedd sôn am ei hen dîm yn codi hiraeth ar Jo a theimlai fel crio. Ceisiodd ddod â'r sgwrs i ben.

'Maen nhw'n ein galw ni i gael swper nawr,' meddai. 'Ti'n gwybod pa mor bwysig yw bwyta prydau'n gyson, Mam.'

Ffarwelion nhw a theimlodd Jo ddeigryn yn dianc wrth i'w fam ddechrau cilio o'r sgrin.

'Wela i chi cyn hir,' meddai, ond roedd Kalvin wedi torri'r cysylltiad.

'Sylwes i bo ti'n stryglo fan'na, Jo,' gwenodd. 'Ond mae pawb yn mynd fel 'na.'

Soniodd am y chwaraewr rygbi mwyaf enwog yn y byd, blaenwr da, roedd pawb ei ofn.

'Dw i'n cofio pan oedd e fan hyn – roedd e'n crio bob nos. Mae'n arferol.'

Sychodd Jo ei lygaid. 'Diolch, Kalv. Dw i ddim

fel arfer yn dioddef o hiraeth ond roedd eu gweld nhw yna a gweld llygaid coch Mam ...' Methodd â gorffen ei frawddeg. 'Llygaid coch,' meddai'n sydyn. 'Kalvin, dw i angen siarad gyda Mererid, nawr – mae'n bwysig iawn.'

Pennod 38

Edrychai'r rheolwr yn syn pan eglurodd Jo beth roedd wedi ei weld a'r hyn yr oedd yn meddwl oedd ei ystyr.

'Reit, aros fan'na. Af i weld y capten.'

Aeth Mererid at y bont.

'Syniad gwych, Jo,' meddai'r dyn, 'wyt ti'n credu y gallai'r peth 'ma fod wedi bod yn ysbïo arnon ni drwy'r wythnos?'

'Efallai. Roedd e yna drwy'r amser. Mae'n rhaid i ni fynd 'nôl fyny i weld.'

Dychwelodd Mererid a dweud eu bod yn mynd i godi i'r wyneb yn syth. Dywedodd wrth Kalvin i fynd â Jo a'i ffrindiau yn ôl i'r ystafell wylio ac aros yno tan iddi ddod i'w nôl nhw.

Yn ôl yn ystafell, cadwodd Jo'n dawel wrth i weddill ei dîm ymuno ag ef. Brysiodd Jess at y ffenestri unwaith iddyn nhw ddod at wyneb y dŵr, ond cwynai nad oedd yn gallu gweld Bob yr aderyn.

Syllodd Jo'n galed er mwyn gweld yn bell, a gallai weld clwstwr o oleuadau coch yn yr un rhan o'r awyr lle'r oedd wedi gweld y drôn wythnosau ynghynt. Wedi i'r ynys godi o'r dŵr, roedd y goleuadau fel pe baen nhw'n dod yn fwy llachar ac ychydig yn fwy eu maint.

'Dw i'n meddwl ei fod yn dod yn agosach,' sibrydodd Kalvin wrth Jo.

Edrychodd Jo i lawr ar y môr a chafodd fraw o weld cwch bach ag injan yn dod o gyfeiriad yr ynys ac yn gwibio tuag at y goleuadau.

Gwelodd gweddill y tîm y cwch hefyd a'i wylio wrth i ddau ddyn ei yrru ar draws y tonnau.

'Allwn ni ddefnyddio'r binocwlars?' gofynnodd Ajit, wrth iddi fynd â phâr oddi ar silff ar y wal. Amneidiodd Kalvin a syllodd chwe phâr o lygaid ar y cwch bach. Blinodd Jess ar ôl ychydig a syllu ar yr awyr.

'Dyna Bob – neu un o'i deulu, ta beth,' gwenodd. 'Ond mae ei lygaid yn dal i fod ychydig yn llachar.'

Roedd y dynion wedi teithio dros gilomedr oddi wrth yr ynys ac yn sydyn stopiodd y cwch. Cododd un dyn rywbeth o waelod y cwch a'i basio at y dyn arall a'i tynnodd o'i gasyn.

'Mae ganddo ddryll!' gwaeddodd Craig. 'Beth mae'n mynd i saethu allan yn fan'na – does dim byd i'w weld.'

Gwingodd Jo wrth i Jess sylweddoli beth oedd ar fin digwydd.

'Na! Mae'n mynd i saethu Bob!' gwaeddodd.

'Nid Bob yw e,' meddai Jo, gan osod ei law ar fraich Jess.

Clywon nhw ergyd, troi eu pennau a gweld rhywbeth bach tywyll yn syrthio a chwmwl o blu yn dilyn.

Wylodd Jess, gan fynnu bod ei hoff aderyn – neu un tebyg iddo – newydd gael ei saethu.

'Mae hwnna yn erbyn y gyfraith,' meddai. 'Dw i'n mynd i ddweud wrth yr heddlu lleol am Mererid.'

Gwyliodd y plant y morwyr yn brysio draw i gasglu gweddillion eu targed er mwyn eu cludo yn ôl i'r ynys.

'Beth ddigwyddodd yn fan'na?' gofynnodd Kim. 'Dw i'n meddwl dy fod ti'n gwybod mwy nag wyt ti'n ei ddweud wrthon ni, Jo.'

'Sori, Kim,' meddai Jo, 'Dywedodd Mererid wrtha i am beidio dweud – bydd hi 'nôl mewn munud.'

'Pam saethon nhw Bob?' wylodd Jess. 'Dy syniad di oedd e?'

Cymerodd Mererid ddeg munud i ddychwelyd i'r ystafell wylio.

'Sori am yr oedi, ond roedd rhaid i ni sicrhau bod y ddyfais yn ddiogel,' eglurodd.

'Pa ddyfais?' mynnodd Kim. 'Maen nhw newydd saethu aderyn!'

'Na,' meddai Mererid, gan edrych ar Jo, yn falch ei fod wedi cadw'n dawel. 'Nid aderyn oedd hwnna. Sylwodd Jo fod ganddo lygaid coch oedd yn ei atgoffa o'r drôn oedd wedi bod yn ein dilyn ni – ac roedden ni'n meddwl ei bod hi'n bwysig ein bod ni'n archwilio ymhellach.

'Aeth ein morwyr ni allan i edrych yn fanylach ar yr aderyn gyda'u peiriannau sganio a gweld ei fod wedi ei wneud o fetel, a dyna pam saethon nhw'r aderyn. Casglon nhw'r gweddillion a gweld taw drôn oedd e, ac roedd e'n cario dyfais glyfar iawn, iawn sy'n debygol o fod wedi bod yn trosglwyddo fideo o'ch sesiynau hyfforddi chi.

'Ry'n ni'n credu'n gryf taw Kratos sydd y tu ôl i hyn ac mae'r capten ar hyn o bryd ar y ffôn gyda Gwyddno yn egluro'r sefyllfa. Os ydyn nhw'n gwybod eich holl gynlluniau a thactegau, dw i'n siŵr y bydd eisiau canslo'r bet a'r gêm.'

Suddodd calon Jo. Ar ôl yr holl waith yr oedden nhw wedi ei wneud wrth baratoi ar gyfer y gêm, byddai'n siomedig iawn i beidio ei chynnal wedi'r cwbl. Sylwodd ar y gweddill yn syllu arno gydag wynebau trist hefyd.

'Hei, peidiwch â'm beio i,' meddai. 'Dw i wedi ein hachub ni o'r ysbiwyr yna. Gallai pethau fod wedi bod yn beryglus iawn.'

'Dw i'n gwybod,' cwynodd Craig, 'ond pe byddet ti wedi cadw dy geg ar gau, bydden ni'n dal i fynd i rywle anhygoel i chwarae pêl-droed. Nawr, pwy a ŵyr beth fydd yn digwydd?'

Pennod 39

Roedd yr ynys yn dal uwch ben y dŵr, ac er bod yr Athro Kossuth yn mynnu eu bod yn ymuno ag ef ar gyfer hyfforddiant y bore wedyn, roedd y plant wedi colli pob awydd.

Wrth iddyn nhw gael hoe i yfed dŵr, daeth sŵn i darfu ar dawelwch y bore.

Wyppa, wyppa, wyppa – edrychodd y plant allan ar y môr a'r awyr uwch ben i weld beth oedd yn ei achosi. Aeth y sŵn yn uwch a thyfodd y smotyn ar y gorwel yn fwy tan iddyn nhw sylweddoli bod hofrennydd ar ei ffordd i'r ynys.

'Ewch yn ôl i'r bwthyn,' meddai'r athro, 'a gadewch i fi weld pam fod yr hofrennydd yma.'

Safodd Kim a Jo wrth y ffenest a gwylio wrth i'r hofrennydd lanio yng nghanol y cae pêl-droed.

Camodd yr athro tuag ato wrth i'r drws ochr agor a chamodd hen ddyn drwyddo oedd yn edrych yn gyfarwydd. Agorodd Kalvin y drws i'r bwthyn ac arwain y plant allan.

'A, felly dyma fy nhîm bach i,' gwenodd y dyn, oedd yn drwsiadus ac yn gwisgo siwt las ddrud a thei sidan porffor. 'Dyma ni'n cwrdd eto.'

'A phwy ydych chi?' gofynnodd Craig. 'Dw i

ddim yn credu ein bod wedi cwrdd.'

Dechreuodd yr hen ddyn siarad fel môr-leidr. 'Arrrr, fi yw capten y llong orau yn y byd, *Seithennyn*,' chwarddodd, a syllodd y plant arno mewn rhyfeddod.

'Chi yw Gwyddno,' chwarddodd Jess. Yn amlwg doedden nhw ddim wedi cael digon o amser yn ei gwmni o'r blaen i'w gofio'n iawn. 'Dyma ffordd brafiach o deithio na'r hen gwch yna oedd gennych chi'r tro cynta. Pam na allen ni fod wedi cyrraedd fan hyn mewn hofrennydd!'

Ymunodd Gwyddno yn y chwerthin.

'Wel, mae'n flin gen i am hynny ond roedd problemau diogelwch wnaeth ein gorfodi ni i wneud y penderfyniad yna – dw i'n siŵr eich bod chi'n deall,' meddai, cyn edrych ar Jo a gwenu.

'Nawr, dw i am fynd i mewn i gael sgwrs gyflym gyda Mererid a'r capten, ac yna fe ddof i allan i weld sut rydych chi'n dod ymlaen gyda'ch hyfforddiant pêl-droed. Efallai y gallwn ni gael un o'r gemau enwog 5 yn erbyn 2 yna y mae'r athro a Kalvin yn eu hoffi cymaint!'

Roedd ymweliad perchennog yr ynys wedi cyffroi'r plant ac fe aethon nhw ati i weithio'n galed am weddill y sesiwn ymarfer.

'Felly, mae'r gemau pump yn erbyn dau yn beth cyson,' meddai Kim wrth Jo, wrth iddyn nhw aros i Ajit ailwisgo ei esgid dde ar ôl iddi hedfan i ffwrdd mewn tacl.

'Sgwn i faint o dimau'r plant blaenorol wnaeth hyd oed gael gêm gyfartal neu sgorio gôl?' meddai Jo.

'Wel, ddywedwn i fod rhaid bod y boi yn y cyntedd wedi sgorio ambell un,' chwarddodd Kim, gan gyfeirio at y seren o Chile a enillodd yr esgid aur yn Ewrop y tri thymor diwethaf.

'A dweud y gwir, dim ond unwaith y sgoriodd e yn ein herbyn ni mewn pedair blynedd,' gwenodd yr athro, oedd wedi bod yn gwrando arnyn nhw. 'Ond mae Kalvin a fi ychydig o flynyddoedd yn hŷn bellach ...'

Pennod 40

Ar ôl i'w gyfarfod orffen, daeth Gwyddno allan a chynnig dyfarnu'r gêm rhwng y plant a'u dau hyfforddwr.

Cymerodd y ddwy ochr y peth o ddifri, ac ni lwyddwyd i faeddu Kalvin o gwbl yn yr hanner cyntaf. Roedd Craig hefyd yn wych gan arbed yr unig ddwy ergyd gan yr athro.

Felly, a hithau'n ddi-sgôr, chwythodd Gwyddno'r chwiban er mwyn dechrau'r ail hanner. 'Deg munud yn unig yw'r hanner hwn,' cyhoeddodd. 'Mae'n rhy boeth i fod yn ddyfarnwr felly mae'n rhaid ei bod yn rhy boeth i chwarae.'

Roedd Jo'n mwynhau'r frwydr ganol y cae gyda'r Athro Kossuth, a chafodd y gorau arno sawl gwaith. Roedd y dyn hŷn yn gallu gwneud pethau oedd bron yn hudol gyda'r bêl, a edrychai i Jo fel pe bai'n sownd i'w esgid.

'Rhowch bwysau arno – un ar bob ochr,' sibrydodd Gwyddno wrth i Jo redeg heibio'n dilyn yr athro. 'Os daclwch chi e ar yr un pryd, bydd e ddim yn gallu gwneud ei driciau.'

Dywedodd Jo wrth Ajit beth oedd ei gynllun,

a'r tro nesa i'r Athro Kossuth gael gafael ar y bêl aeth y ddau ato a'i wasgu. Rhedodd Ajit ysgwydd yn ysgwydd ag ef gan roi hergwd iddo. Cododd yr athro'r bêl yn gelfydd er mwyn osgoi tacl Ajit, ond sleifiodd Jo heibio a'i dwyn oddi arno. Gwthiodd Jo'r bêl o'i flaen a chydag un llam, roedd y tu hwnt i gyrraedd yr hyfforddwr. Edrychodd i fyny a gweld Jess ar yr ymylon, yn rasio tuag ato. Wrth iddo dynnu Kalvin allan tuag ato, pasiodd y bêl gydag ochor ei esgid ac aeth hi heibio llaw chwith ceidwad y gôl gan adael i Jess ei chicio wysg ei hochr i mewn i'r rhwyd.

'Hwrê!' bloeddiodd Jess wrth iddi neidio yn yr awyr ac wrth i weddill y tîm frysio draw i'w llongyfarch. Edrychai'r athro'n welw a cheisiodd osgoi edrychiad Gwyddno wrth iddo bwyntio at y cylch canol.

'Faint o amser sydd ar ôl?' gofynnodd Kim.

'Tua naw deg eiliad,' atebodd Gwyddno.

Penderfynodd Jo mai amddiffyn oedd yr opsiwn gorau i'w dîm felly fe'u hanogodd nhw i encilio tu ôl i'r bêl, ond roedd hynny hefyd yn golygu bod Kalvin yn gallu ymuno â'r athro ar gyfer y gic gyntaf. Roedd yn rhaid i'r tîm hŷn ennill nawr.

Am ddyn mawr, roedd Kalvin yn rhyfeddol o gyflym, ond roedd Kim yn dynn wrth ei sodlau, a dechreuodd yr athro golli amynedd gan nad oedd yn gallu dod o hyd i unrhyw ofod. Ni adawodd Jo nag Ajit iddo fynd heibio iddyn nhw, ac roedd Jess yn hofran o gwmpas ymyl ardal gosbi ei thîm er mwyn cynnig help llaw os oedd angen.

Roedd meddwl yr athro yn gweithio'n galed, roedd hynny'n amlwg, ond doedd neb yn siŵr pryd y byddai'n taro. Edrychodd ar y gôl, ac o ddeg metr yn unig o fewn hanner y gwrthwynebwyr, cododd ei goes chwith mor bell yn ôl ag y gallai a'i swingio'n gyflym. Yn ei ben, roedd wedi cyfri'r pŵer, y pellter a chyflymdra'r gwynt ac yn credu y byddai'r bêl yn hedfan tuag ochr chwith uchaf y gôl, tua chwe chentimetr o dan y trawst a chwe chentimetr o'r postyn ochr.

Hedfanodd y bêl yn uchel yn yr awyr, bron fel cic rygbi, gan wyro at y gôl wrth ddisgyn. Edrychodd Jo mewn braw ar Craig oedd yn ceisio deall ar ba ongl y byddai'r bêl yn dod tuag at y gôl.

'Neidia, nawr!' gwaeddodd Jo, wrth i Craig barhau i betruso.

Cymerodd Craig ddau gam ar draws llinell y

gôl a neidio mor uchel yn yr awyr ag y gallai. Ymestynnodd ei fraich a cheisio cyffwrdd y bêl gyda'i fenig anferth. Trawodd hi gyda blaenau ei fysedd, ond roedd hynny'n ddigon o drwch blewyn, a bwriwyd y bêl oddi ar y nod, bownsio oddi ar y postyn a thuag at Kim. Cafodd hithau reolaeth ar y bêl a redeg i fyny'r cae gyda Kalvin wrth ei sodlau.

Roedd Kim ar fin cicio'r bêl i'r rhwyd wag pan ddaeth sŵn chwiban ddwywaith a chododd Gwyddno ei fraich yn yr awyr uwch ei ben.

'Dyna hi, mae'r gêm drosodd,' gwaeddodd.

'O na!' cwynodd Jo. 'Roedd hi ar fin sgorio.'

'Dewch nawr,' chwarddodd Gwyddno. 'Chi ddim eisiau bod yn rhy galed ar yr hen ddynion, ydych chi?'

Roedd Tîm Cantre'r Gwaelod yn dal wrth eu boddau â'r canlyniad, a chawson nhw gymeradwyaeth gan griw'r ynys oedd wedi clywed am y sgôr ac wedi brysio draw i weld yr hyfforddwyr pêl-droed yn cael eu trechu am y tro cyntaf erioed. Moment hanesyddol.

'Wel, roedd honna'n gêm ddifyr iawn,' meddai Gwyddno. 'Ac yn ganlyniad gwych. Yn ystod holl flynyddoedd yr academi, mae'r staff wedi trechu'r disgyblion. Felly dw i'n gweld y canlyniad hwn fel buddugoliaeth i'r ddwy ochr – does dim ffordd y byddai'ch tîm chi wedi ennill y gêm heb hyfforddiant ardderchog yr Athro Kossuth, sef y prif reswm y mae'n gweithio yma, wrth gwrs.

'Fodd bynnag, mae'n gosod esiampl wael ac os bydd yn digwydd eto, mae arna i ofn y bydd yn rhaid i mi ddiswyddo'r athro a Kalvin,' meddai gyda gwên lydan, gan wincio ar yr ochr oedd wedi ei threchu.

Pennod 41

Ymunodd Gwyddno â'i bum myfyriwr i gael swper ac roedd yn llawn cwestiynau ynglŷn â sut roedden nhw'n dod ymlaen yn yr academi.

'Ond dw i'n siŵr bod gennych chi gwestiynau i fi hefyd,' meddai wrth iddyn nhw orffen eu prif gwrs. 'Dw i'n hapus i ateb unrhyw gwestiwn, heblaw rhai am y gêm yma yn erbyn Gwales achos nid yw Ross wedi gorffen ei ymchwiliad eto, ac mae angen i Mererid a fi gael trafodaeth ddwys am hyn i gyd.'

Gofynnodd Kim i Gwyddno pam ei fod wedi creu academi chwaraeon ar Cantre'r Gwaelod.

'Oherwydd fy mod i eisiau i chi, a dwsinau o blant eraill fel chi, gael y cyfle i gyflawni eich breuddwydion ym myd y campau drwy wella a chyrraedd safon arbennig.

'Pan oeddwn i eich oed chi, roeddwn i'n chwaraewr pêl-droed, tennis, hyrling, rygbi a nifer o gampau eraill ond roeddwn yn chwaraewr cyffredin iawn. Ond ro'n i'n caru chwaraeon, pob math o chwaraeon, ac yn angerddol wrth fynd ati.

'Ond do'n i ddim yn gallu gwella achos doedd

dim llawer o hyfforddwyr ar Gantre'r Gwaelod. Ac roedd y rhai oedd ar gael ddim ond yn canolbwyntio ar y chwaraewyr oedd yn wirioneddol dda. Roeddwn wedi fy argyhoeddi bod pêl-droediwr ardderchog y tu fewn i fi pe byddwn ond yn gallu dod o hyd i hyfforddwr oedd yn credu ynof fi ac yn gallu tynnu'r chwaraewr yna allan ohonof fi.

'Ond ddigwyddodd hynny ddim. Serch hynny, roedd gen i gyfoeth a'r cyfle i fynd i'r tir mawr. Felly, fe benderfynais geisio rhoi cyfle i blant eraill. Cyfle na chefais i erioed. Creais rwydwaith o hyfforddwyr a sgowtiaid i fynd ar y tir mawr bob ochr i Fôr yr Iwerydd a'u hannog i edrych ar dimau pêl-droed – ac nid i chwilio am y chwaraewyr gorau ond i ddod o hyd i'r rhai gwannaf. Yna anfonais bobl i archwilio pa mor angerddol roedd y plant hynny am eu camp. Roeddwn eisiau dod o hyd i blant oedd yn rhoi pob eiliad sbâr o'u hamser i'w camp, a gweld a oedden nhw'r math o blant oedd yn ymarfer ar eu pennau eu hunain ac yn dangos hunanddisgyblaeth,' ychwanegodd.

Daeth Angela mewn gyda hambwrdd o ddiodydd a rhai o hoff fisgedi siocled Gwyddno. Trodd Gwyddno ei de gwyrdd a chodi bisged, ei chnoi a'i rhoi ar y bwrdd cyn parhau â'i stori.

'Edrychon ni ar ddegau o filoedd o blant un ar ddeg oed a thorri'r rhestr i tua dwsin cyn i ni eu gwahodd i ymuno â'n gwersyll pêl-droed. Roedd rhai o'r rhieni yn ansicr am y peth, ond roedd y plant yn gweld y cyfle roedden ni'n ei roi iddyn nhw gyda'r hyfforddwyr a'r cyfleusterau gorau. Parhaodd y gwersyll cyntaf am wyth wythnos yn yr haf mewn coedwig yn yr Alban, ond gwellodd dau aelod o'r grŵp yna gymaint nes iddyn nhw chwarae pêl-droed rhyngwladol erbyn eu bod yn 15 oed. Yn ddiweddarach daeth un yn chwaraewr proffesiynol i dîm Uwchgynghrair Cymru.

'Ond roedd y gwersyll haf yn rhy fyr. Roeddwn eisiau ei ehangu i gynnwys llawer mwy o gampau ond lleihau'r niferoedd i ddyrnaid yn unig o ddisgyblion. Datblygon ni gynlluniau ar gyfer canolfan chwaraeon, ond roedd y clybiau chwaraeon yn ysbïo arnon ni ac yn ceisio dwyn ein dulliau, neu'n dwyn ein chwaraewyr cyn i ni orffen eu datblygu nhw.

'Yna ges i'r syniad o wario arian ar Cantre'r Gwaelod ac addasu'r ynys at ein dibenion ni. Doedd neb yn byw yno bellach gan eu bod wedi hen fudo i'r Tir Mawr. Sylweddolais, o wneud ymchwil trylwyr, bod modd troi'r ynys yn rhyw fath o long danddwr oedd yn gallu ymweld â nifer o wledydd a chael blas ar wahanol gampau a diwylliannau chwaraeon ar draws y byd. A thrwy adeiladu'r holl gyfleusterau chwaraeon yn y llong, bydden ni'n gallu hyfforddi a gweithio yn hollol ddirgel o dan y dŵr. A phan fydden ni'n codi uwch ben y dŵr, bydden ni'n edrych fel darn o dir cyffredin.

'A dyma ni!' meddai'n llawn balchder.

'Mae'n rhaid eich bod wedi gwario miliynau,' meddai Ajit.

'Cannoedd o filiynau, siŵr o fod,' atebodd Gwyddno. 'Ond dw i mor falch bod daioni wedi dod o Gantre'r Gwaelod. Byddai'r holl bobl, a fy holl gyndadau a foddodd, wedi bod mor hapus bod rhyw les wedi dod o'r peth. Ac rydw i, mewn ffordd, yn rhoi rhywbeth yn ôl i Gymru gan fod cynifer ohonoch yn dod o'r wlad. Byddwch yn serennu yn eich camp ac yn dod â bri i'r wlad. Mae hynny mor bwysig i fi.'

Daeth Kalvin i mewn a galw ar Gwyddno.

'Well i fi fynd at y Tywysog Kalvin,' meddai'n ysgafn. 'Ond wna i siarad â chi nes 'mlaen – wedi i ni benderfynu beth sy'n digwydd. Fodd bynnag, ar ôl eich gwylio chi heddiw, dw i'n hyderus y gallwch chi guro unrhyw un y byddwch yn eu hwynebu.'

Pennod 42

'Gobeithio gawn ni'r cyfle i chwarae yn erbyn tîm Gwales,' meddai Jess. 'Byddai'n gymaint o wastraff pe byddai'r lle yma yn cael ei ddwyn oddi arnon ni.'

'Dw i'n cytuno,' meddai Kim. 'Mae Gwyddno wedi treulio ei fywyd yn gweithio ar hwn. Os gawn ni gyfle i chwarae er mwyn ei gadw, mae'n rhaid i ni gofio hynny. A rhaid i ni wneud ein gorau glas.'

'Wrth gwrs,' cytunodd Craig. 'Dw i jyst yn credu ei fod yn annheg mai ein cyfrifoldeb ni fydd hyn i gyd.'

Cliriodd y pump eu platiau ac roedden nhw wedi blino'n lân ar ôl y gêm felly aethon ni i'w hystafelloedd a mynd yn syth i'r gwely.

Gorweddodd Jo ar y gwely yn darllen llyfr. Roedd ei gorff wedi blino ond roedd angen rhywbeth ar ei ymennydd er mwyn ei helpu i ymlacio. Roedd wrth ei fodd yn darllen, yn enwedig am chwaraeon, a byddai'n ei roi ei hun yn esgidiau'r arwr ym mhob stori. Roedd prif gymeriad y llyfr hwn yn chwaraewr rygbi anobeithiol ar y dechrau, ond cyfarfu ag ysbryd hen chwaraewr a roddodd syniadau iddo ynglŷn â sut i wella.

Caeodd Jo'r llyfr a gwenu. Roedd yn gwybod nad oedd yn chwaraewr da 'nôl adref ond roedd yn gwybod ei fod bellach wedi gwella ac yn un o sêr ei dîm newydd. Roedd yn eithaf siŵr hefyd nad ysbrydion oedd Kalvin a'r athro.

Pan ddychwelon nhw i'r ffreutur y bore wedyn i gael brecwast, roedd Mererid a Gwyddno eisoes yno'n bwyta powlen yr un o ffrwythau.

Eisteddodd Jo, Craig ac Ajit ar y bwrdd nesa atyn nhw a dweud helô.

'Bore da,' meddai Gwyddno.

Cerddodd Kim a Jess mewn a dywedodd Mererid, 'Mae gan Gwyddno rywbeth pwysig iawn i'w ddweud wrthoch chi.'

Roedd y pump ar flaenau eu seddau yn syllu ar yr hen ddyn wrth iddo droi ei lwy yn ei de.

'Wel, chi'n gwybod ein bod wedi darganfod mai drôn oedd yr "aderyn", oedd yn cael ei ddefnyddio i ddilyn ein hynys. Mae ein harchwiliadau wedi dod o hyd i fanylion sydd hyd yn oed yn fwy brawychus – bod llygaid yr aderyn wedi bod yn gweithredu fel camera fideo, yn recordio popeth ac yn ei ddarlledu i bwy bynnag oedd yn ei reoli.'

'Ond roedd e'n eistedd ar y ffens drwy'r wythnos!' ebychodd Ajit.

'Ac yn gweld ein holl gynlluniau ni,' ochneidiodd Jess.

'Ond pwy fyddai wedi gwneud y fath beth?' gofynnodd Craig. 'Eich brawd?'

'Efallai,' atebodd Gwyddno, 'ond mae e wedi gwadu'r peth, a dw i'n gorfod ei gredu. Dw i'n ei adnabod yn well na neb a dw i'n gwybod pryd mae'n dweud celwydd. Mae e wedi newid ac ry'n ni eisiau bod yn ffrindiau eto.'

'Ond pwy arall fyddai wedi bod wrthi?' gofynnodd Jo.

'Ry'n ni'n dal i ymchwilio,' atebodd Mererid. 'Ry'n ni dal yn drist ac yn bryderus am yr hyn ry'n ni wedi ei ddarganfod, ond o dan yr amgylchiadau mae'n rhaid i ni fynd yn ein blaenau gyda'r gêm. Dw i wedi rhoi fy ngair i Gwilym ynglŷn â'r hyn sydd yn y fantol, ac mae e wedi addo nad Gwales sydd y tu ôl i'r ysbïo. Mae gwrthwynebwyr eraill yn fy myd i, pobl sydd am ddwyn ein cyfrinachau ni, felly byddaf yn parhau i chwilio am atebion. Ond ar hyn o bryd, gyda naw diwrnod yn weddill, dw i am i chi ganolbwyntio ar baratoi ar gyfer y gêm yma.'

Pennod 43

Gweithiodd y pum chwaraewr ifanc yn galed tu hwnt yn yr ystafelloedd ymarfer. Roedd gan Academi'r Campau gampfa ond doedd Connor, yr hyfforddwr ffitrwydd, ddim yn fodlon iddyn nhw fynd yn agos at unrhyw rai o'r offer yr oedden nhw wedi eu gweld ar y teledu.

'Dyw'ch cyrff chi ddim wedi tyfu digon i ddefnyddio'r pwysau na'r peiriannau hyn. Daw hynny, ond peidiwch â brysio. Mae digon o bethau y gallwn ni eu gwneud fel ymarferion ar y breichiau, y coesau a'r stumog.'

Roedd Jo'n meddwl bod y gampfa yn ddiflas ond creodd gemau rhifau bach yn ei ben er mwyn gwneud i'r sesiwn basio'n gynt. Ond roedd Craig wrth ei fodd, a fe oedd y gorau yn y rhan fwyaf o'r ymarferion.

'Oes unrhyw ymarfer i'ch gwneud chi'n dalach?' gofynnodd i Connor.

Chwarddodd gweddill y plant ond gwenodd yr hyfforddwr ac amneidio.

'A dweud y gwir, mae sawl damcaniaeth ynglŷn â hynny,' meddai. 'Yr unig rai dw i'n cytuno â nhw yw nofio ac ymestyn. Wna i roi rhai i ti y gelli di eu gwneud ar dy ben dy hun – ond dylai pawb sicrhau eu bod yn nofio am ugain munud bob dydd, gan ei fod yn dda ar gyfer llawer o bethau.'

Roedd yr Athro Kossuth yn bryderus bod ei gynlluniau ar gyfer y gêm wedi eu dwyn gan eu gwrthwynebwyr, a dechreuodd weithio ar ddewisiadau eraill.

'Peidiwch anghofio'r cynlluniau gwreiddiol,' meddai wrthyn nhw. 'Daw hi'n amlwg os yw Gwales yn ymwybodol o'n tactegau ni neu beidio, felly edrychwch ar y rhain fel cynlluniau wrth gefn. Mae hi wastad yn dda cael nifer o dechnegau gwahanol os nad yw eich gwrthwynebwyr yn chwarae fel yr oeddech chi'n disgwyl iddyn nhw wneud.'

'Sut wyt ti'n disgwyl iddyn nhw chwarae?' gofynnodd Jo.

'Dw i'n disgwyl iddyn nhw fod yn fwy ac yn gryfach na chi,' meddai'r athro. 'Maen nhw fel arfer yn recriwtio chwaraewyr o America neu Ganada, lle mae plant ar gyfartaledd yn dalach ac yn drymach ym mhob band oedran. Ond does dim allwn ni ei wneud am hynny ar y cam yma. Rhaid i chi geisio'u curo nhw drwy fod yn gyflymach, yn fwy medrus a thrwy feddwl yn gyflymach.'

'Pryd fyddwn ni'n cyrraedd?'

'Ry'n ni yma,' meddai'r athro.

'Ni'n chwarae yma ar yr ynys?' gofynnodd Kim.

'Ydyn, ac yn amlwg ar ôl i ni gyrraedd y wyneb. Ond ry'n ni yn yr union fan lle mae Gwyddno a Gwilym wedi cytuno i chwarae'r gêm.'

'Ble ydyn ni?' gofynnodd Jess.

'Alla i ddim dweud, ond fe gewch chi wybod yn ddigon buan. Dw i newydd gael neges i ddweud y byddwn ni'n dod i'r wyneb mewn chwarter awr. A dw i wedi cael cyfarwyddiadau i'ch anfon chi i'r ffreutur.'

Bwytaodd y plant bryd bach o fwyd wrth aros am gyfarwyddiadau i wisgo gwregys er mwyn dod i'r wyneb. Roedden nhw i gyd yn nerfus ond arhosodd y rhan fwyaf ohonyn nhw'n dawel gan adael i Jess barablu a meddwl am syniadau eithaf rhyfedd ynglŷn â lle allen nhw fod.

'Falle ein bod ni ym Mhegwn y Gogledd?' dyfalodd.

'Dau ddiwrnod o Guyana – o'r cyhydedd?' meddai Ajit.

'Efallai eu bod yn gallu teithio'n gyflymach nag yr oedden ni'n ei feddwl?'

'Na, nid Pegwn y Gogledd fydd e,' meddai Kim. 'Dw i'n cofio Mererid yn dweud ein bod yn mynd i lawr yr arfordir.'

Roedd Jo'n difaru peidio canolbwyntio fwy yn ei wersi daearyddiaeth.

'Edrychais i yn yr atlas a dw i'n credu 'mod i'n gwybod i ble ni'n mynd. Fwy neu lai.'

'Ble?' gofynnodd Jess.

'Dw i ddim yn dweud, ond os dw i'n iawn, yna mae'n lle da iawn i gael gêm bêl-droed.'

Pennod 44

Cafodd y pump eu galw i'r bwthyn lle roedd Gwyddno a Mererid yn aros amdanyn nhw. Agorodd Kalvin y drysau ac aethon nhw allan i'r ynys.

Y peth cyntaf sylwodd Jo yn syth oedd pa mor boeth oedd hi, a'i bod yn anodd anadlu. Roedd yr ynys wedi dod i'r wyneb yng nghanol afon lydan iawn gyda jwngl ar y llethrau uchel.

'Byddwch chi'n sylwi ei bod hi'n boeth iawn,' meddai Mererid. 'Dyna pam ddaethon ni yma rai dyddiau'n gynnar, er mwyn i chi ymgyfarwyddo. Rydych chi yn un o'r lleoedd mwya heriol ar y ddaear, a bydd yn rhaid i chi fod yn ofalus nad ydych yn mynd yn sâl. Rydych wedi cael pigiadau yn erbyn y rhan fwya o glefydau, ond mae llawer iawn o bethau nad ydym yn eu deall eto, felly byddwch yn ofalus. A pheidiwch â nofio yn yr afon, na rhoi'ch llaw ynddi, hyd yn oed.'

'Ble ydyn ni?' gofynnodd Craig.

'Dw i'n meddwl mai'r Amazon yw'r afon,' meddai Jess.

Gwenodd Mererid.

'Felly,' meddai Jo, 'ry'n ni yn y wlad enwoca yn y byd am chwarae pêl-droed – Brasil.'

'Waw, sut ydyn nhw mor dda os ydyn nhw'n chwarae mewn gwres fel hyn?' gofynnodd Ajit.

'Wel, mae hwn yn agos at y cyhydedd,' eglurodd Mererid. 'Mae'n wlad enfawr ac mae'r rhan fwya o'r bobl yn byw bedair mil o gilomedrau ymhellach i'r de. Ond mae hi'n boeth yn fan'no hefyd.'

'Nawr, bydd yr Athro Kossuth eisiau i chi wneud rhai ymarferion ysgafn, ac egluro beth i'w wneud a beth i'w osgoi. Ond y rheol bwysica yw i BEIDIO MYND I MEWN I'R DŴR.'

Gwrandawodd y plant ar y rhybudd, er nad oedd gan yr un ohonyn nhw egni i'w wastraffu ar nofio ar ôl deng munud o gerdded a loncian ar yr ynys. Roedd hi'n well y diwrnod canlynol, fodd bynnag, a threnny dd roedden nhw'n gallu perfformio gystal ag yr oedden nhw cyn iddyn nhw gyrraedd y wlad.

Roedd Jo newydd gicio'r bêl heibio Craig at dop y rhwyd pan ddaeth Kalvin allan o ddrws y bwthyn.

'Ocê, cadwch draw o'r ochrau, plis,' meddai. 'Mae angen i chi ddod fyny fan hyn tan ein bod yn gweld beth sy'n digwydd nesa.'

Rhedodd yr hyfforddwyr a'r disgyblion i fyny'r allt at yr adeilad bach. Gofynnodd Jess i Kalvin beth oedd yn digwydd.

'Mae ein ffrindiau o'r tîm arall wedi cyrraedd,' cyhoeddodd, 'felly daliwch yn dynn.'

Angorwyd Cantre'r Gwaelod reit yng nghanol yr Amazon, tua chan metr o'r llethr. Tua dau gan metr i lawr yr afon, dechreuodd y dyfroedd ffrwtian cyn i siâp tywyll, enfawr ymddangos o nunlle yng nghanol yr holl sŵn. Ynys oedd hon hefyd, ond dim byd tebyg i lethrau hardd a chaeau gwyrdd Cantre'r Gwaelod.

Dringodd yr ynys yn uwch gan greu ton a lifodd dros gae chwarae Cantre'r Gwaelod. Roedd yr ynys yn uchel, mor uchel â'r coed oedd ar ochrau'r afon enfawr ac yn plygu dros Cantre'r Gwaelod.

'Dw i'n gallu gweld pam ein bod ni'n chwarae fan hyn,' meddai Kim. 'Dw i'n mynd yn benysgafn yn edrych i fyny ato, heb sôn am edrych tuag at i lawr.'

'Does ganddyn nhw ddim o'r dechnoleg i chwarae tu allan ar yr ynys yna,' meddai Gwyddno oedd wedi dod i weld beth oedd yn digwydd. 'Ond maen nhw'n awyddus iawn i gael gwybodaeth wrthon ni am y gwair.'

Ar ôl rhai munudau agorodd ogof ar ochr yr ynys newydd a daeth cwch bach a pheilot a dau ddyn arall allan. Gwibion nhw ar draws y dŵr at Gantre'r Gwaelod a gyrru eu cwch yn syth ar yr ynys.

'Sori,' meddai'r peilot. 'O'n i ddim yn ffansïo rhoi fy nhraed yn yr afon hon.'

'Paid poeni, dw i ddim yn dy feio di,' meddai Gwyddno gan gynnig ysgwyd llaw gyda'r hynaf o'r ddau ddyn.

'Gwilym,' gwenodd, 'croeso 'nôl i Gantre'r Gwaelod. Dw i mor falch o dy weld di eto.'

Symudodd Gwyddno yn agosach a chofleidio ei frawd.

'Fi hefyd,' atebodd. 'Mae hi wedi bod yn rhy hir. Gawn ni fwyd gyda'n gilydd heno a thrafod yr hen ddyddiau.'

Pesychodd y dyn arall.

'O, ddrwg gen i,' meddai Gwilym. 'Dyma fy mhartner busnes, Kratos. Mae ei bobl yn cynnal Gwales nawr gan 'mod i'n agos at oed yr addewid.'

Camodd Kratos ymlaen ac ysgwyd llaw Gwyddno.

'Wrth fy modd yn cwrdd â chi, syr, chi'n dod o deulu diddorol,' meddai. 'Ond mae gen i ofn fy mod yma i gymryd eich ynys oddi wrthoch chi, felly bydda i ddim yn rhan o unrhyw fwynhau, ac ni fydda i'n ymuno â chi i gael swper. Ni wedi teithio miloedd o gilometrau heddiw ac mae ein gêm yn dechrau mewn tridiau, am bump o'r gloch yr hwyr. Pob lwc i bawb. Esgusodwch fi.'

A chamodd y dyn yn ôl i mewn i'r cwch, gyda Gwilym wrth ei sodlau â golwg drist iawn ar ei wyneb.

Pennod 45

Yn ôl yn yr academi, roedd golwg ddryslyd ar y plant.

'Dridiau tan y gêm, ac maen nhw newydd gyrraedd? Wnân nhw byth gyfarwyddo â'r gwres mewn pryd,' meddai Kim.

'Oni bai eu bod wedi bod yn rhywle sydd â hinsawdd debyg, wrth gwrs,' awgrymodd Jo.

'Ond dywedodd Kratos eu bod wedi dod o bell heddiw,' meddai Ajit.

'Dw i ddim yn siŵr a fydden i'n trystio dim o beth mae'r dyn yna'n ei ddweud,' meddai Kim.

Gyda Gwales yn sefyll yn gawr dros gae Cantre'r Gwaelod, penderfynodd yr athro symud tu fewn ar gyfer y prif sesiynau ar dactegau. 'Wnawn ni barhau i hyfforddi tu allan, wrth gwrs, a gweithio ar eich egni chi, fydd yn bwysig iawn yn yr hinsawdd hon.'

Wrth i amser y gêm agosáu, roedd y disgyblion mynd yn fwyfwy nerfus. Aeth Craig yn annioddefol o flin, gan gyfarth ar unrhyw un oedd yn torri ar ei draws.

'Gadewch fi fod, dw i'n ceisio meddwl,'

meddai wrth Jess ar ôl iddi ddweud 'Bore da' amser brecwast.

'Nawr, dewch, plis gallwn ni fod yn gwrtais â'n gilydd,' meddai Mererid oedd newydd ymuno â'r nhw. 'Ry'n ni dan straen ond dyw hynny ddim yn esgus i fod yn anghwrtais. Ry'n ni ar yr un tîm – pob un ohonon ni.'

Doedd Craig ddim hoffi cael stŵr a syllodd ar ei blât am dipyn cyn codi a gadael yr ystafell.

'Gad iddo fynd,' meddai Mererid. 'Mae angen iddo gael llonydd – dyna'i ffordd e o ddelio gyda straen.'

Y noson cyn y gêm, estynnodd Mererid wahoddiad i'r tîm i'w swyddfa i gael parti bach. Roedd diodydd a byrbrydau yno, a gwin i'r oedolion. Wrth i Gwyddno a Mererid eu hannog a chodi eu hyder, roedd meddwl Jo'n crwydro, yn edrych ar y lluniau oedd ar y waliau.

Gofynnodd Gwyddno i'r athro siarad ond roedd yr hyfforddwr yn gyndyn. Yn y pendraw, safodd o flaen y grŵp a phwyntio at bob un yn ei dro, cyn dechrau siarad.

'Y pump ohonoch yw'r criw mwya anhygoel dw i wedi eu hyfforddi erioed. Nid chi yw'r mwya talentog, ond rydych chi wedi dangos ymrwymiad a pharodrwydd i ddysgu. Ac rydych wedi dysgu gymaint.

'Fory byddwch yn chwarae dros Academi'r Campau ac yn dangos i bawb pa mor dda ydych chi erbyn hyn. Dw i'n gwybod eich bod yn ddigon da i guro unrhyw dîm eich oed chi yn y byd. Felly ni fydd sesiwn cyn y gêm fory, nac unrhyw dactegau munud olaf neu gynlluniau. Mae'r cwbl yn eich pennau chi, ac yn eich traed chi. Mae gen i bob ffydd ynddoch chi.'

Eisteddodd yr athro.

Roedd tawelwch am rai eiliadau cyn i Mererid fynd at ei desg ac agor bocs yr oedd hi wedi ei guddio mewn drôr.

'Cyn i chi fynd i'r gwely, mae un cyflwyniad bach i'w wneud a dw i am ofyn i Gwyddno ei wneud.'

Cododd bum paced wedi eu lapio mewn papur brown ar y ddesg.

'O ie, wrth gwrs,' meddai Gwyddno. 'Mae'r crysau hyn wedi eu cynllunio'n arbennig ar gyfer gêm fory. Gobeithio y gwnewch chi eu gwisgo gyda balchder ac anrhydedd.'

Gwnaeth arwydd er mwyn i Jo ddod ymlaen a rhoi crys coch iddo gyda'i enw wedi ei brintio ar draws y cefn.

'Kim,' meddai, ac aeth Kim i fyny i gasglu ei chrys.

Dilynodd y tri arall, a threulion nhw i gyd rai eiliadau yn edmygu eu dillad newydd cyn diolch i Mererid a Gwyddno a dweud nos da wrth yr athro.

Pennod 46

Y bore wedyn, cododd Jo'n gynnar a mynd i fyny'r grisiau i'r ystafell wylio. Syllodd drwy'r ffenest ar yr ynys enfawr arall. Ynys y gelyn.

'Mae hyn yn wirion,' meddai'n dawel. 'Dwy ynys enfawr danddaearol wedi eu hadeiladu oherwydd bod dau frawd wedi dadlau. A nawr mae eu holl ddyfodol yn dibynnu ar gêm o bêl-droed.' Ochneidiodd a mynd i'r ystafell frecwast.

Roedd y lleill yn bwyta pryd ysgafn oherwydd roedd Connor wedi dweud wrthyn nhw y byddai'n rhaid iddyn nhw gael cyfnod byr a chyflym o hyfforddiant ac y bydden nhw'n mynd yn ôl i gysgu am dair awr. Roedd Jo wrth ei fodd yn cael caniatâd i fynd i gysgu yn y dydd – teimlai fel pe bai yn yr ysgol feithrin eto.

'Gafodd pawb noson dda o gwsg?' gofynnodd yr athro.

Syllodd y pump i gyfeiriadau gwahanol, ac roedd pob un yn osgoi dal llygad yr hyfforddwr.

'Does dim ots, doeddwn i ddim yn disgwyl i unrhyw un gysgu am naw awr y noson cyn y gêm,' chwarddodd. 'Dw i'n adnabod capten yr Almaen oedd byth yn cysgu o gwbl cyn rownd gynderfynol Cwpan y Byd. Roedd e'n chwyrnu yn yr ystafell newid cyn y gêm – ond unwaith chwythodd y dyfarnwr ei chwiban roedd yn effro ac yn barod i fynd. Sgoriodd ddwywaith ac ennill gwobr chwaraewr gorau'r gêm.'

'Falle wna i ennill yr Esgid Aur 'te,' meddai Jess gan ddylyfu gên.

Cadwodd yr athro'r sgwrs ysgafn gan ail-ddweud ambell stori ddoniol o'r gorffennol ac osgoi trafod y gêm fawr. Am un ar ddeg o'r gloch anfonodd e nhw oddi yno.

'Os wyt ti'n dylyfu gên wrth wrando ar fy straeon i, mae'n rhaid dy fod ti wedi blino, achos alli di byth â bod wedi diflasu yn eu clywed nhw!'

Aeth y pump yn ôl i'w hystafelloedd a'i chael hi lawer yn haws mynd i gysgu am eu bod wedi ymlacio.

Am ddau o'r gloch yn y prynhawn deffron nhw i gyd i sŵn cloch, a llais Kalvin yn dweud wrthyn nhw am fynd i gwrdd ag ef y tu allan.

Ymunodd y tîm ag ef ar y llawr uchaf ac aeth â nhw i redeg o gwmpas y cae er mwyn cynhesu eu cyhyrau. Roedd gweddill eu cyrff yn eithaf cynnes hefyd, felly fe wnaethon nhw'n siŵr eu bod yn yfed digon o ddŵr.

Am dri o'r gloch aethon nhw i gael tyliniad, a threuliodd Jo ychydig o amser gyda Fry yn ymarfer ciciau cosb yn erbyn fideo rhithwir o'r gôl-geidwad gorau yn y byd. Doedd e byth yn gallu cael mwy nag un gôl o bob pum ergyd, ond roedd yn credu bod hynny'n eithaf da.

Daeth Craig i'r ystafell hefyd am yr un rheswm. Doedd e ddim yn gallu atal mwy nag un o bob pump o goliau Ronaldo, ond roedd wrth ei fodd gyda hynny, a dweud y gwir.

Eisteddon nhw ar y fainc yn gwylio hen fideos o rowndiau terfynol Cynghrair y Pencampwyr.

'Dw i eisiau dechrau'r gêm,' cwynodd Craig, 'er mwyn iddi fod drosodd.'

'A fi,' meddai Jo, 'ond dw i hefyd yn edrych ymlaen at weld pwy yw ein gwrthwynebwyr, a faint o her fyddan nhw. Roedd hi'n anodd chwarae yn erbyn y tîm dau ddyn, ond bydd hi'n anoddach wynebu pum gwrthwynebydd.'

'Dw i wedi bod yn gwneud rhai o'r ymarferion yna wnaeth Connor eu hawgrymu,' meddai Craig, 'yn ogystal â llawer o nofio ac ychydig o hongian ar y bariau hefyd. A ti'n gwybod beth? Dw i wedi tyfu dau gentimetr.'

'Anhygoel,' meddai Jo, ond roedd yn swnio'n

amheus. 'Bydden i'n hoffi tyfu hefyd ond wna i adael hynny yn nwylo natur.'

Am bedwar o'r gloch, crwydrodd y ddau 'nôl i'r ffreutur a bwyta ffrwythau ac yfed sudd. Ymunodd gweddill y tîm â nhw, ac roedden nhw i gyd yn gwisgo cit coch Academi'r Campau. Daeth yr athro i'r ystafell hefyd.

'Addawes i na fydden i'n drysu'ch meddyliau chi gyda thactegau munud ola – chi i gyd yn gwybod beth i'w wneud a phryd i'w wneud e. Os oes gan unrhyw un gwestiynau, dw i yma i'w hateb nhw ...'

Ysgydwodd yr holl blant eu pennau, neu ddweud 'na, ond diolch, athro.'

'Ocê, felly dim ond un peth sydd gen i ar ôl i'w wneud, sef enwi'r capten. Mae pobl wahanol wedi dangos sgiliau arwain gwahanol yn y misoedd diwetha. A dw i'n gobeithio gweld pawb yn gwneud hynny ar y cae heddiw. Ond mae angen capten ar dîm pêl-droed – er mwyn ysgwyd llaw gyda'i wrthwynebydd ar eich rhan chi cyn y gêm, ond hefyd i wneud y penderfyniadau mawr unwaith mae'r gêm wedi dechrau. A dw i, Kalvin a Fry wedi penderfynu mai'r person â'r mwya o wybodaeth am bêl-droed, a'r ymwybyddiaeth fwya o'r strategaethau y byddwn yn eu defnyddio, fydd yn cael y swydd heddiw. Felly, ry'n ni wedi dewis Jo.'

Roedd Jo wedi cael sioc. Roedd wedi tybio ei fod yn ddewis amlwg gan mai dim ond fe oedd wedi chwarae pêl-droed cyn dod yma, ond doedd e ddim wedi gweld ei hun fel arweinydd. Ei freuddwyd oedd bod yn gapten ar ei dîm gartref. Ond dyma fe bellach yn gapten ar Academi'r Campau.

Pennod 47

Arweiniodd Jo'r tîm drwy ddrws y bwthyn a chafodd sioc o weld ochr y cae yn llawn gwylwyr a'r rhan fwyaf ohonyn nhw'n gwisgo sgarffiau coch.

'Pam eu bod nhw'n gwisgo sgarffiau coch yn y gwres yma?' gofynnodd Ajit.

'Cefnogwyr ydyn nhw – cefnogwyr Academi'r Campau,' atebodd Kim. 'Pawb sy'n gweithio ar yr ynys, siŵr o fod. Dyna Ross, a Maureen, Fflur ac Angela o'r ffreutur.'

Teimlai'r chwaraewyr yn rhyfedd i ddechrau, yn cicio pêl o flaen y bobl yr oedden nhw'n eu gweld bob dydd, ond cyn hir dechreuon nhw ganolbwyntio ar eu prif dasg ac aethon nhw drwy eu hymarferion cynhesu gyda Connor.

Gyda deng munud i fynd cyn dechrau'r gêm, edrychodd Jo draw ar Gwales mewn pryd i weld y drws yn agor a fflyd fach o longau yn ymddangos. Roedd gan y cyntaf bum teithiwr a phawb yn gwisgo crysau melyn llachar. Llywiodd y peilot nhw ar draws y dŵr tuag at Gantre'r Gwaelod a dringodd pob un ar yr ynys, un ar ôl y llall.

'Maen nhw'n anferth!' meddai Jess, wrth i'w gwrthwynebwyr edrych o gwmpas yr arena.

Roedd hynny'n wir. Roedd y pedwar bachgen a'r un ferch a wisgai grysau melyn yn edrych yn debycach i ddynion a menywod. Roedd hyd yn oed mwstás gan un.

Cerddodd Gwyddno draw i groesawu ei frawd a Kratos i'r gêm. 'Prynhawn da, a chroeso i Gantre'r Gwaelod. Ond rhaid dweud, dw i'n rhyfeddu eich bod wedi dod â'r chwaraewyr hyn – maen nhw lawer yn hŷn na'n rhai ni.'

Dechreuodd Gwilym ateb ond torrodd Kratos ar ei draws. 'Wel wrth gwrs eu bod nhw, Frenin Gwyddno. Mae'ch myfyrwyr chi wedi bod gyda chi am bedwar mis, a'n rhai ni wedi bod gyda ni am bedair blynedd. Ddywedodd neb y dylen nhw fod yr un oed neu wedi treulio'r un amser yn yr academi.

'Ond ...' meddai Gwyddno, 'mae'r rhain bron yn oedolion.'

'Wel, fel y dywedais, maen nhw wedi bod gyda ni am bron i bedair blynedd. Ry'n ni ar fin eu hanfon allan i'r byd. Mae un wedi arwyddo i chwarae i Barcelona, dw i'n meddwl.'

Ddywedodd yr athro ddim gair wrth iddo wrando ar y sgwrs ond cymerodd Jo i un ochr cyn i'r timau fynd i'w rhesi.

'Does dim byd i boeni amdano, Jo. Llwyddaist ti a dy dîm i drechu dau oedolyn drwy ddefnyddio eich ymennydd a'ch cyflymdra. Gallwch chi wneud yr un peth fan hyn.'

Cymerodd y ddwy ochr eu lle a chwythodd y dyfarnwr – oedd wedi ei fenthyg o Academi Pêl-droed Brasil ac wedi cyrraedd mewn parasiwt – y chwiban er mwyn dechrau'r gêm.

Rhedodd tîm Gwales at y tîm llai a cheisio defnyddio pob cyfle posibl i gael y bêl. Doedd gan Jess, y lleiaf o Academi'r Campau, ddim gobaith yn erbyn yr amddiffynwyr mawr, a chafodd ei tharo i'r llawr ddwywaith yn y pum munud cyntaf. Treuliodd Jo lawer o'i amser yn dod 'nôl i helpu'r amddiffynwyr, ond roedd y dechneg daclo yr oedd wedi ei dysgu gan yr Athro Kossuth yn golygu nad oedd unrhyw beth yn mynd heibio iddo.

Roedd y tîm melyn yn dechrau colli amynedd gyda'r ffaith bod y rhai iau yn gwrthod ildio, a'r tro nesa i Jo gael y bêl, cafodd ei wthio i'r llawr gan dacl o'r tu ôl.

Arhosodd am y chwiban ar gyfer cic rydd, ond pan na ddaeth hi aeth at y dyfarnwr a gofyn, 'Hei, reff?' Ond mynnodd y dyfarnwr bod y gêm yn parhau a gwnaeth un o chwaraewyr Gwales y gorau o'r cyfle i gicio'r bêl i gornel uchaf y rhwyd.

Roedd dyrnaid o gefnogwyr Gwales ar ochr y cae ond doedd eu bloeddio ddim i'w glywed.

'Ges i fy nhaclo o'r tu ôl – mae hwnna'n drosedd,' meddai Jo wrth y dyfarnwr wrth gerdded i mewn i'r cylch canol.

Syllodd y dyfarnwr ar Jo a mynd i'w boced a thynnu cerdyn melyn ohoni.

'Be?' gofynnodd Jo, ond ni atebodd y dyfarnwr, dim ond tynnu ei fys ar draws ei geg i ddweud wrth y bachgen ifanc i fod yn dawel.

Roedd Jo'n grac am yr annhegwch ond roedd yn gwybod bod rhaid iddo gadw'n dawel neu byddai'n wynebu cerdyn coch, a byddai hynny'n ddiwedd y byd i'r tîm. Cymerodd y bêl wrth Ajit ac edrych i weld beth ddylai ei wneud nesa – roedd Jess yn rhedeg am y cwrt cosbi ac roedd Ajit wedi rhedeg i'r chwith, gan gymryd y chwaraewr canol cae gydag ef. Aeth chwaraewr crys melyn am Jo, ond llamodd Jo heibio'r dacl a gweld ei fod bellach ar ei ben ei hun yn rhedeg am y gôl-geidwad a oedd wedi dod allan er mwyn culhau ei ongl sgorio.

Ond gydag ergyd anhygoel, aeth cic Jo â'r bêl

heibio'r gôl-geidwad a glanio o flaen y gôl, gan fownsio wedyn i mewn i'r gôl.

Neidiodd y golwr i fyny a phwyntio at Jess oedd yn casglu'r bêl o'r rhwyd. '*Impedimento, impedimento*,' gwaeddodd ar y dyfarnwr.

'Beth mae'n dweud?' gofynnodd Jo.

'Dw i'n credu mai "camsefyll" mae'n ei ddweud,' meddai Ajit. 'Roedd bachgen o Bortiwgal yn chwarae hyrling gyda ni llynedd ac roedd e'n gweiddi hwnna drwy'r amser.'

Edrychodd y dyfarnwr ar Jess cyn chwifio ei freichiau ond roedd cryn embaras ar ei wyneb.

'Mae hynna'n jôc!' meddai Jess, ond cadwodd hi'n dawel pan rybuddiodd Jo hi drwy roi ei fys ar ei wefusau.

Doedd Jo ddim yn gallu gweld beth oedd yn bod ar y gôl. Doedd Jess ddim yn agos iddo pan giciodd y bêl i'r rhwyd, ac roedd yr amddiffynnwr yn agosach i'r gôl nag yr oedd hi, ta beth.

Roedd rhywbeth rhyfedd yn mynd ymlaen.

Pennod 48

Gyda Kim a Jo yn chwarae'n arbennig o dda wrth amddiffyn, a Craig yn chwarae'n wych yn y gôl, llwyddodd Academi'r Campau i gadw'r sgôr yn 1-0 erbyn hanner amser, pan eisteddon nhw i gyd mewn cylch ar y cae er mwyn cael eu gwynt yn ôl atynt.

Wrth iddyn nhw yfed diodydd oer, roedden nhw'n cwyno am safon y dyfarnu.

'O ble gawson nhw fe?' gofynnodd Craig.

'Mae e'n lleol, o Frasil,' meddai Ajit.

'Mae e'n siarad yn rhwydd iawn gyda'u tîm nhw, ta beth,' sylwodd Kim.

'Falle eu bod nhw o Bortiwgal,' awgrymodd Ajit.

'Neu o Frasil?' meddai Craig.

'Felly dyna pam nad oedden nhw angen cyfarwyddo â'r gwres. Maen nhw i gyd yn lleol,' meddai Kim.

Gwgodd Ajit a Jess ond roedd y chwaraewyr eraill yn edrych yn grac.

'Drychwch, does dim pwynt cwyno am hynny,' meddai Jo. 'Gadewch hynny i Gwyddno a'i frawd i'w ddatrys.

‘Mae’n rhaid i ni fynd ar y cae ’na a cheisio cael gêm gyfartal ac yna ennill y gêm. A dy’n nhw ddim mor dda â hynny. Mae’r boi o Barcelona yn hyderus ond mae’n eitha hawdd rhagweld ei symudiadau. Bob tro geith e’r bêl, wna i ac Ajit ei wasgu. Cadwch i ymladd yn galed – mae yna dal obaith. Awn ni ati ar ddechrau’r ail hanner fel trên a cheisio’u blino nhw. Ond byddwch yn ofalus, dw i’n credu bydd y person cynta i edrych ar y dyfarnwr heb wenu yn cael cerdyn coch.’

Chwythodd y dyfarnwr ei chwiban er mwyn dechrau’r ail hanner ac ymosododd Academi’r Campau yn syth. Roedd Gwales wedi bod yn chwerthin a thynnu coes yn ystod yr egwyl ac roedden nhw’n amlwg yn cymryd eu gwrthwynebwyr ychydig yn ysgafn.

Dawnsiodd Jo heibio’i wrthwynebydd a chicio’r bêl at Ajit a redodd mor bell â llinell y gôl cyn troi a mynd mewn i’r cwrt cosbi. Rasiodd capten Academi’r Campau tuag at lle roedd yn credu y byddai’r bêl yn glanio, ac wrth iddo neidio i’r awyr cofiodd am y fideos o Ronaldo yr oedden nhw wedi eu gwylio. Ceisiodd gopïo’r ffordd yr oedd y seren yn symud yn yr awyr gan hongian yno am hanner eiliad, a tharo'r bêl gyda'i dalcen.

Saethodd y bêl oddi ar ei ben a glanio yn y rhwyd, gan adael y gôl-geidwad yn sefyll yno â'i geg ar agor wrth i'r llanc ifanc redeg i ffwrdd gyda'i freichiau yn yr awyr.

Bloeddiodd staff Cantre'r Gwaelod mewn hapusrwydd, a chan nad oedd y dyfarnwr yn gallu gweld unrhyw beth yn bod gyda'r gôl, chwythodd y chwiban yn wan a phwyntio at ganol y cae.

Roedd Gwales yn grac iawn ac aethon nhw ati fel teirw am y munudau nesa, ond roedd Craig â thân yn ei fol bellach rhwng pyst y gôl. Deifiodd i achub y bêl a giciwyd yn galed a chlyfar gan yr unig ferch yn y tîm arall, a rhwystrodd un arall gan y cefnwr.

Ac roedd Gwales wedi dechrau diflasu. Doedd dim diffyg egni ganddyn nhw, ac roedd hi fel pe bai llai o ddiddordeb ganddyn nhw yn y canlyniad nag oedd gan Jo a'i ffrindiau.

Edrychodd Jo ar Kalvin, a'i hanogodd i fynd yn ei flaen. Cafodd tîm Cantre'r Gwaelod gic rydd ar ymyl eu hardal nhw a chymerodd Jo hoe gyflym wrth iddo ystyried ei ddewisiadau. Gwnaeth arwydd ar Kim ac edrych draw ar Ajit a ddynododd gyda'i lygaid beth yr oedd am iddo'i wneud.

Pasiodd Jo y bêl at Kim, ac yna taranodd i fyny'r cae ar ei ben ei hun. Roedd amddiffyniad Gwales wedi cael braw, a thynnon nhw eu llygaid oddi ar Kim oedd wedi pasio'r bêl at Ajit, a hwnnw bellach yn hedfan i lawr yr ystlys. Cyrhaeddodd Jo'r smotyn yn y man lle sgoriodd gyda'i beniad, ond y tro hwn roedd dau amddiffynnwr o Gwales yn ei warchod, felly er mwyn creu dryswch ni wnaeth drio ennill y bêl.

Aeth y bêl tuag at Jess a gymerodd hanner eiliad i reoli'r bêl cyn ei thanio at bostyn agos lle sleifiodd y bêl rhwng y golwr a'r postyn ac i mewn i'r rhwyd.

Daeth bloedd hyd yn oed yn uwch gan gefnogwyr Cantre'r Gwaelod, a gwenodd Jo wrth iddo weld y dyfarnwr yn codi ei ysgwyddau fel pe bai'n dweud, 'Beth alla i wneud?' a gwneud arwydd ei fod wedi dyfarnu'r gôl.

Roedd y crysau melyn fel pe baen nhw wedi deffro a sylweddoli eu bod bellach yn colli o 2-1, ond er iddyn nhw geisio eu gorau glas, doedden nhw ddim yn gallu dod o hyd i ffordd i dorri drwodd. Wnaeth hyd yn oed Jess fach lwyddo i ennill tacl wrth i brif chwaraewr Gwales golli ei hyder.

Fodd bynnag, doedd yr unig ferch yn y tîm

arall, Marta, ddim mor wan, ac roedd hi'n parhau i geisio ysbrydoli ei thîm.

Gydag eiliadau'n unig ar ôl ar y cloc, torrodd hi heibio Jo a mynd am y gôl. Symudodd Kim ar draws i'w hatal ond sleifiodd Marta heibio iddi a chicio'r bêl. Hedfanodd fel saeth o'i hesgid a mynd am gornel dde uchaf y gôl.

Ond roedd gan Craig gynlluniau eraill ar gyfer y bêl. Gan ddefnyddio'r holl wybodaeth yr oedd wedi ei chael yn y dosbarth gymnasteg, neidiodd yn uchel yn yr awyr a thaflu ei freichiau at y bêl pan oedd o dan y trawst – ac roedd blaen bys ei faneg yn ddigon i fwrw'r bêl oddi ar ei chwrs a tharo'r trawst. Bownsiodd hi tuag at Marta a giciodd y bêl nes iddi hedfan yn uchel dros y bar a thros y ffens ac i mewn i'r afon.

Edrychodd hi at ochr y cae ond doedd hi ddim yn ymddangos bod pêl sbâr ar gael, felly brysiodd at y drws yn y ffens a'i agor.

'NA!' gwaeddodd Mererid o'r ochr, ond aeth ei llais ar goll yng nghanol yr holl floeddio.

Penliniodd Marta ar ochr yr ynys a phwyso tuag at y bêl oedd wedi arnofio tua metr i ffwrdd o'r tir. Brwsiodd ei bysedd y lledr cyn iddi deimlo dwy fraich yn ei llusgo hi 'nôl o'r afon.

'Na, na, na,' meddai Craig, wrth iddo ei thynnu yn ôl o'r dŵr.

'Beth sy'n digwydd?' gofynnodd Ajit.

'Dw i ddim yn gwybod,' meddai Jo. 'Mae Craig wedi ei cholli hi.'

Rhedodd y dyfarnwr at y ffens a chwifio cerdyn coch at Craig.

Ond pwyntiodd y gôl-geidwad at y bêl a oedd eisoes yn dechrau newid siap wrth i'r aer lithro ohoni.

'Edrychwch!'

Roedd y bêl wedi ei gorchuddio â physgod bach oedd yn neidio allan o'r dŵr i gnoi'r lledr. O fewn eiliadau roedd y bêl mewn darnau, wedi ei rhwygo'n filiynau o ddarnau bach gan ddannedd bach miniog.

Pennod 49

'Pirana!' sgrechiodd y dyfarnwr, a oedd yn ofn y pysgod a oedd, yn ôl y sôn, yn gallu troi dyn yn sgerbwd mewn munudau.

Chwythodd y dyfarnwr ei chwiban ac arwain pawb yn ôl y tu mewn i'r ffens. Galwodd ar Gwilym a Gwyddno i ddod i'r canol ac fe gafodd y tri sgwrs fer mewn Portwgeeg. Cerddodd Gwyddno at y plant.

'Mae o'n dweud bod rhaid iddo ohirio'r gêm achos bod y bêl wedi ei dinistrio. Dywedes i mai dwli oedd hyn. Dim ond deg eiliad oedd yn weddill ac roedd hi'n gic i Academi'r Campau. Dw i wedi gofyn i Gwilym siarad ag e.'

Ond doedd Gwilym ddim yn siarad gyda'r dyfarnwr – roedd yn rhan o drafodaeth danllyd gyda Kratos. Ar ôl munud neu ddau, cerddodd tuag at dîm y Campau gyda'i bartner y tu ôl iddo.

'Wnaiff Kratos ddim newid ei feddwl,' meddai. 'Ond fi sydd â'r bet hyn ac er bod Kratos wedi recriwtio'r chwaraewyr hyn, mae ei dîm ef yn chwarae yn fy enw i. A dw i'n fodlon dweud ein bod wedi ein trechu gan dîm dewr a gwell.'

Chwyrnodd Kratos at Gwilym. 'Twpsyn,' meddai. 'Wnei di ddim clywed diwedd hyn,' ac aeth i ffwrdd yn bwdlyd.

Arwyddodd y dyfarnwr at Craig er mwyn iddo gymryd y gic ond roedd pedwar aelod o dîm Gwales hefyd wedi cerdded oddi ar y cae, felly ciciodd Jo a Kim y bêl at ei gilydd yn ôl ac ymlaen tan i'r chwiban olaf gael ei chwythu eiliadau wedyn.

Cofleidiodd y pum chwaraewr ei gilydd mewn llawenydd, a brysiodd eu cefnogwyr atyn nhw i'w llongyfarch. Arhosodd Marta i ysgwyd llaw pob un ohonyn nhw ond roedd gweddill tîm Gwales eisoes yn eu cwch bach ac ar eu ffordd yn ôl i'r ynys.

'Chwaraeoch chi'n dda iawn,' meddai Marta wrth Jo. 'Ond chi'n gwybod nad ydyn ni'n fyfyrwyr ar yr ynys hon – ni gyd yn dod o sawl academi o glybiau mawr Brasil.'

Amneidiodd Jo a diolch iddi am fod mor onest.

Gwridodd Marta, a sibrwd yng nghlust Jo. 'Ac mae fideo gyda ni o'ch sesiynau hyfforddi chi a'ch holl symudiadau. Roedd y dyfarnwr yn gymeriad amheus hefyd. Mae e wedi ei wahardd ym Mrasil am ddwy flynedd am gael ei lwgrwobrwyo. Doedd dim siawns gyda chi – ond enilloch chi!'

Yna neidiodd Marta mewn i gwch arall ac aros i weddill cefnogwyr Gwales ymuno â hi.

Cerddodd Jo a Kim at lle roedd Mererid a Kalvin yn gwenu o glust i glust. Dywedodd Jo wrthyn nhw beth oedd Marta wedi ei ddweud wrtho am y dyfarnwr, a sut nad oedd unrhyw rai o'i chyd-chwaraewyr yn fyfyrwyr ar Gwales, a sut roedden nhw i gyd wedi dysgu tactegau Academi'r Campau o flaen llaw.

Roedd Gwyddno a Gwilym yn dal i drafod. Yn y pendraw, cerddodd Gwyddno i ffwrdd gan edrych yn grac iawn ac aeth Gwilym am y cwch bach olaf.

Ar ôl i'r holl ymwelwyr adael ac i Gwales fynd o dan y dŵr, eisteddodd yr enillwyr a'u hyfforddwyr ar y bryn o laswellt ac edrych i lawr ar y cae lle cynhaliwyd y gêm. Daeth Mererid â diodydd ysgafn i'r plant a dathlodd yr oedolion gyda siampên. Ymddangosodd Kalvin â barbeciw a helpodd Maureen i goginio gwledd ar eu cyfer er mwyn cael dathlu.

'Am ddiwrnod bendigedig,' meddai Mererid wrth iddyn nhw wylio'r haul yn machlud y tu ôl i'r jwngl Amazonaidd.

Roedden nhw i gyd yn chwerthin a thynnu coes wrth iddyn nhw fwyta'u bwyd – coginiodd Craig pirana ar farbeciw, hyd yn oed – ac ail-fyw pob eiliad o'r gêm.

Daeth Gwyddno 'nôl i fyny'r grisiau i ymuno â nhw, a'r tro hyn roedd yn gwisgo ei siwt wen orau. 'Dw i wastad yn gwisgo yn grand i bartïon,' meddai wrthyn nhw.

Gwenodd Mererid a gofyn iddo a oedd yn falch ei fod wedi ennill y bet ac achub Cantre'r Gwaelod.

'Wrth gwrs,' atebodd, 'a dw i'n teimlo'n ffôl iawn 'mod i wedi dod mor agos at ei golli.'

'A nawr mae gennych chi ail ynys i ofalu amdani. Dylai hynny fod yn dipyn o her,' meddai Mererid.

'Wel ... nid dyna fydd yn digwydd,' ochneidiodd Gwyddno. 'Dyw Gwilym ddim yn ddyn drwg, dim ond yn ddyn gwan. Cyfaddefodd wrtha i yn y diwedd mai dim ond un y cant o Gwales y mae'n berchen arno. Roedd Kratos wedi prynu'r gweddill oddi wrtho flynyddoedd yn ôl. O'n i wedi deall ei fod yn berchen ar yr ynys i gyd – felly o'n i wedi cymryd y risg o golli Cantre'r Gwaelod i gyd er mwyn ennill dim ond darn bach o'i academi e.'

Roedd staff yr ynys mor syfrdan fel na allai unrhyw un ddweud yr un gair.

'Ac mae hynny, wrth gwrs, yn meddwl bod Kratos yn dal i wylio pob symudiad yr ydym yn ei wneud ac yn parhau i dwyllo'i ffordd at lwyddiant yn y byd chwaraeon.'

'Ond nid dyna yw eich ffordd chi,' meddai Kim. 'Ac nid dyma'n ffordd ni chwaith.'

Gwenodd Gwyddno. 'Byddai fy nghyndeidiau ar Cantre'r Gwaelod wedi bod mor falch ohonoch chi i gyd. Chi'n cynrychioli popeth gafodd ei ddwyn gan y môr yn y trychineb – gwytnwch, dyfalbarhad, gobaith a gonestrwydd. Roedd pobl Cantre'r Gwaelod yn bobl o'r iawn ryw. Fel chi.'

Eisteddon nhw i gyd i lawr a chodi gwydryn i Craig a'r ddau gentimetr ychwanegol yr oedd wedi tyfu a wnaeth sicrhau eu bod yn ennill y dydd. Chwarddodd pawb a chanu a bwyta ac yfed hyd ganol nos ar eu hynys, gan werthfawrogi cwmni ei gilydd a'r clod o fod mewn tîm llwyddiannus – tîm Academi'r Campau.